VLADÍMIR ILITCH LÊNIN

DEMOCRACIA E LUTA DE CLASSES

TEXTOS ESCOLHIDOS

TRADUÇÃO: EDIÇÕES AVANTE! E PAULA VAZ DE ALMEIDA
REVISÃO DA TRADUÇÃO PORTUGUESA: PAULA VAZ DE ALMEIDA

ORGANIZAÇÃO: ANTONIO CARLOS MAZZEO

Direção editorial Ivana Jinkings
Conselho editorial Antonio Carlos Mazzeo, Antonio Rago, Augusto Buonicore, Ivana Jinkings, Marcos Del Roio, Marly Vianna, Milton Pinheiro, Slavoj Žižek
Edição Carolina Mercês
Assistência editorial Pedro Davoglio
Tradução Edições Avante! (caps. 3, 4, 5 e 6) e Paula Vaz de Almeida (caps. 1, 2 e 7)
Revisão da tradução portuguesa Paula Vaz de Almeida
Preparação Thais Rimkus
Revisão Mariana Zanini
Coordenação de produção Juliana Brandt
Assistência de produção Livia Viganó
Capa e aberturas Maikon Nery
Diagramação Antonio Kehl

Equipe de apoio: Artur Renzo, Clarissa Bongiovanni, Débora Rodrigues, Dharla Soares, Elaine Alves, Elaine Ramos, Frederico Indiani, Heleni Andrade, Higor Alves, Isabella Marcatti, Ivam Oliveira, Joanes Sales, Kim Doria, Luciana Capelli, Marina Valeriano, Marlene Baptista, Maurício Barbosa, Raí Alves, Talita Lima, Tulio Candiotto

CIP-BRASIL. CATALOGAÇÃO NA PUBLICAÇÃO
SINDICATO NACIONAL DOS EDITORES DE LIVROS, RJ

L585d
Lênin, Vladímir Ilitch, 1870-1924
Democracia e luta de classes : textos escolhidos / Vladímir Ilitch Lênin ; organização Antonio Carlos Mazzeo ; tradução Edições Avante!, Paula Vaz de Almeida.- 1. ed. - São Paulo : Boitempo, 2019.
(Arsenal Lênin)

Tradução de: Полное собрание сочинений
Inclui índice
ISBN 978-85-7559-731-6

1. Socialismo. 2. Comunismo. 3. Estado. 4. Revoluções. 5. Proletariado. I. Mazzeo, Antonio Carlos. II. Edições Avante! (Firma). III. Almeida, Paula Vaz de. IV. Título. V. Série.

19-59909 CDD: 335.42
CDU: 330.85

Meri Gleice Rodrigues de Souza - Bibliotecária CRB-7/6439

1ª edição: outubro de 2019;
5ª reimpressão: janeiro de 2025

BOITEMPO
Jinkings Editores Associados Ltda.
Rua Pereira Leite, 373
05442-000 São Paulo SP
Tel.: (11) 3875-7250 / 3875-7285
editor@boitempoeditorial.com.br | boitempoeditorial.com.br
blogdaboitempo.com.br | youtube.com/tvboitempo

SUMÁRIO

NOTA DA EDIÇÃO

Terceiro volume da coleção Arsenal Lênin, esta coletânea apresenta uma seleção original de sete textos escritos por Vladímir Ilitch Lênin entre 1905 e 1919, evidenciando a relação primordial entre o comunismo, o escopo das classes sociais e o conceito de democracia – elucidada, em síntese, na defesa da *ditadura do proletariado*.

Para compor esta seleção, Antonio Carlos Mazzeo, com respaldo do conselho editorial da coleção, recorreu a textos fundamentais do autor, escritos em momentos-chave da história da Revolução Russa. Assim, os textos de 1905 ("A democracia operária e a democracia burguesa" e "A social-democracia e o governo provisório revolucionário") revelam as objeções de Lênin às correntes dos novo-iskristas, socialistas-revolucionários e mencheviques quanto à direção da social-democracia na revolução; os textos de 1911 ("Em memória da Comuna") e de março de 1917 ("Sobre a milícia proletária") tratam, em especial, das condições necessárias a uma revolução socialista, levando em conta as falhas da Comuna de Paris e ressaltando a importância da organização do proletariado para conduzir uma revolução vitoriosa – que, como sabemos, viria a acontecer em outubro daquele ano; por fim, nos textos de 1918 ("A revolução proletária e o renegado Kautsky") e de 1919 ("Sobre 'democracia' e ditadura" e "Como enganar o povo com as palavras de ordem da liberdade e da igualdade"), Lênin se propõe a defender o Estado soviético estabelecido pós-revolução, rebatendo críticas e desarticulando argumentos de opositores (muitas vezes autoproclamados marxistas) à liderança bolchevique e à necessidade da ditadura do proletariado.

A tradução dos artigos que integram esta edição foi feita pelo coletivo português das Edições Avante! (capítulos 3, 4, 5 e 6) e por Paula Vaz de Almeida (capítulos 1, 2 e 7), que também realizou a revisão da tradução portuguesa para adequar o texto às peculiaridades da nossa língua. Em ambos os casos, a tradução foi feita diretamente do russo e teve como base a 5ª edição das *Obras completas em 55 tomos* de Lênin publicada pela Izdátelstvo Politítcheskoi Literatúry[1]. As informações sobre autoria da tradução e os dados de publicação original estão indicados em notas de rodapé no início de cada capítulo.

Esta edição mantém as marcações originais de ênfase e destaque de Lênin, como itálicos, negritos e sublinhados. Também mantivemos as notas originais do autor, assinaladas com asterisco; as da tradução, revisão da tradução ou da edição brasileira aparecem numeradas e identificadas. Preservamos, ainda, o padrão das referências bibliográficas originais citadas pelo autor no corpo do texto, indicando, sempre que possível, as edições brasileiras ou portuguesas dos textos mencionados em notas de rodapé.

Democracia e luta de classes oferece ao contexto brasileiro uma atualização fundamental na discussão sobre o perigo da demagogia por trás da defesa da "democracia pura" e de seus valores "universais", como liberdade e igualdade. Numa retomada dos princípios marxistas, Lênin demonstra que é impossível dissociar *a classe* que está no poder do *tipo* de poder que ela exerce; para falar de democracia, portanto, como nos ensina o maior revolucionário do século XX, é preciso antes falar de luta de classes.

[1] Ver Vladímir Ilitch Lênin, Полное собрание сочинений/*Pólnoie sobránie sotchiniéni* [Obras completas] (5. ed., Moscou, Издательство Политической Литературы/Izdátelstvo Politítcheskoi Literatúry [Editora de literatura política], 1967-1975).

APRESENTAÇÃO

Antonio Carlos Mazzeo[1]

> "A luta de classes conduz necessariamente à ditadura do proletariado; [...] Esta mesma ditadura constitui o período de transição para a abolição de todas as classes e para uma sociedade sem classes."[2]
>
> Karl Marx

A coletânea que o leitor tem em mãos constitui uma excelente síntese das concepções lenineanas sobre democracia e ditadura do proletariado, temas permanentemente presentes nas preocupações do maior revolucionário do século XX. Como poderemos verificar, os escritos de Lênin apresentam, além do estilo inconfundível de força e clareza de ideias, a profundidade de um estudioso arguto das obras de Karl Marx e de Friedrich Engels.

Vladímir Ilitch Uliánov, o Lênin, não foi meramente um revolucionário *routinier*, empirista e praticista. Tampouco foi um elaborador teoricista; ao contrário, em sua práxis, ele articulou umbilicalmente ação e reflexão sobre a *realidade concreta*. Como ressaltou o jovem Lukács, Lênin realizou na era do imperialismo o que Marx havia feito ao analisar a primeira fase do desenvolvimento global do capitalismo[3]. E, a partir desse ponto de vista, diversos teóricos marxistas, antes e depois de Stálin, consideraram o leninismo como o marxismo da era imperialista, dentre os quais destacamos o próprio György Lukács, Henri Lefebvre, Luciano Gruppi, Louis Althusser, entre outros.

[1] Professor livre-docente dos programas de pós-graduação em história econômica da Faculdade de Filosofia, Letras e Ciências Humanas da Universidade de São Paulo (FFLCH/USP) e serviço social da Pontifícia Universidade Católica de São Paulo (PUC-SP).

[2] Ver "Carta de Karl Marx a Joseph Weydemeyer, 5 mar. 1852", em Karl Marx e Friedrich Engels, *Obras escolhidas em três tomos*, v. 1 (Lisboa/Moscou, Avante!/Progresso, 1985), p. 555.

[3] György Lukács, *Lenin: teoria e prassi nella personalità di um rivoluzionario* (Roma, Einaudi, 1976), p. 13 e seg [ed. bras.: *Lênin: um estudo sobre a unidade de seu pensamento*, trad. Rubens Enderle, São Paulo, Boitempo, 2012].

A minuciosidade das análises lenineanas sobre a realidade e o desenvolvimento de sua práxis – integrada no escopo das grandes contribuições que procuraram dar *soluções de práxis* ou "respostas civilizatórias" às questões candentes da realidade objetiva –, a partir de seu vínculo rigoroso ao conjunto categorial-analítico da teoria social de Marx[4], traduzida em sua máxima "*respostas concretas para situações concretas*", propiciou ao revolucionário russo transcender análises empiristas e evolucionistas presentes no movimento comunista e no debate interno da Segunda Internacional. Em especial, o embate com o determinismo de Kautsky e o reformismo militante e intelectualmente sofisticado do austromarxismo, cujo enfoque metodológico dicotomizava materialismo histórico e materialismo filosófico, fragmentação que possuía forte vezo kantiano, particularmente no *corpus* formulado por Max Adler[5]. *Concretamente*, a compreensão lenineana situava-se no âmbito das conclusões expressas na última tese marxiana sobre Feuerbach[6], a saber, a *necessidade da práxis no processo do conhecimento* e como crítica objetiva, em que a práxis determina a base analítica como condição *sine qua non* da superação do conhecimento contemplativo e metafísico.

Tendo como referencial a busca da compreensão dos processos de objetivação do capitalismo a partir das *formas particulares* (histórico-concretas) das revoluções burguesas, Lênin estuda os elementos específicos constitutivos dos Estados nacionais mais importantes da ordem burguesa, assim como os aspectos contraditórios fundamentais que irão determinar o próprio caráter do capitalismo nessas formações sociais, com o propósito de buscar justamente a compreensão da *particularidade* russa. Especialmente em seu livro

[4] Antonio Carlos Mazzeo, "Possibilidades lenineanas para uma paideia comunista", em Anderson Deo, Antonio Carlos Mazzeo e Marcos Del Roio (orgs.), *Lênin: teoria e prática revolucionária* (Marília/São Paulo, Oficina Universitária/Cultura Acadêmica, 2015), p. 31 e seg.

[5] Ver, entre outros, Giacomo Marramao, *Austromarxismo e socialismo di sinistra fra le due guerre* (Milão, La Pietra, 1980), p. 258 e seg.; e Perez Mehrav, "Social-democracia e austromarxismo", em Eric Hobsbawm (org.), *História do marxismo*, v. 5 (Rio de Janeiro, Paz e Terra, 1985), p. 251 e seg.

[6] Como podemos ver no excerto "XI tese sobre Feuerbach": "Os filósofos não fizeram mais que interpretar o mundo de diferentes maneiras; trata-se, porém, de transformá-lo". Ver Karl Marx, "Teses sobre Feuerbach", em Karl Marx e Friedrich Engels, *Textos*, v. 1 (São Paulo, Edições Sociais, 1977), p. 120.

O programa agrário da social-democracia na Revolução Russa de 1905-1907[7], em que distingue o que denomina "caminhos do desenvolvimento burguês objetivamente possível"[8], Lênin pormenoriza dois processos de revolução burguesa que se diferenciam daqueles clássicos ocorridos na Inglaterra, no século XVII, e na França, no século XVIII, isto é, os casos estadunidense e alemão, escolhidos precisamente por terem sido resultado de um processo de acumulação de capital e de modernização de forças produtivas e relações sociais pelo campo. Como acentua o autor, nesses casos, em que a terra está em mãos de latifundiários, as formas de desenvolvimento capitalista forçosamente desarticulam as estruturas produtivas anteriores, sejam elas feudais, como na Alemanha – a *via prussiana* –, ou as latifundiárias controladas por terratenentes, como nas colônias da América inglesa – a *via americana*[9]. Obviamente, esses casos em que se verificam embates de projetos sociometabólicos distintos – portanto, perspectivas de classes antagônicas – implicam, tanto no caso reformista como no revolucionário, a construção de elementos morfológicos político-sociais capazes de ordenar um Estado que contemple as necessidades das classes dominantes e de suas perspectivas políticas e econômicas para a consolidação da revolução burguesa. Isso significa situar, também, a questão democrática. Em princípio, a definição de Estado é aquela presente nas formulações de Marx e Engels, ou seja, um órgão de dominação e opressão de classes[10], e, nessa direção, entende-se que a forma de gerenciar suas instituições varia de acordo com a correlação de forças definidas pela luta de classes.

Sob a óptica lenineana, a própria noção de liberdade e, consequentemente, de democracia, é sempre direcionada a uma *parte da sociedade*, tendo em

[7] Ver Vladímir Ilitch Lênin, "El programa agrario de la socialdemocracia en la primera Revolución Rusa de 1905-1907", em *Obras Completas*, v. 13 (Madri, Akal, 1977) [ed. bras.: São Paulo, Ciências Humanas, 1980].

[8] Ibidem, p. 241.

[9] Idem.

[10] Na definição de Lênin (citando Engels): "O moderno Estado representativo é um instrumento de exploração do trabalho assalariado pelo capital". Ver Vladímir Ilitch Lênin, *O Estado e a revolução: a doutrina do marxismo sobre o Estado e as tarefas do proletariado na revolução* (São Paulo, Boitempo, 2017), p. 35.

vista a existência nas sociedades ocidentais contemporâneas de espaços políticos em que se efetiva certa democracia, a qual se esfuma, porém, quando os interesses populares se chocam com os da burguesia e com as formas de organização da produção e da acumulação de capitais, como podemos verificar neste início do século XXI, em que a ofensiva neoliberal estreita os espaços democráticos e as conquistas sociais dos trabalhadores. Mas essas contradições já ocorriam no tempo de Lênin, que muitas vezes chamou atenção para tal fenômeno na Alemanha, no hiato de legalidade constitucional e de certo espaço de liberdade para os trabalhadores, pelo menos até 1919, com a trágica derrota da *Revolução Espartaquista* e os brutais assassinatos de Rosa Luxemburgo e de Karl Liebknecht. Daí percebermos em seus escritos a preocupação concatenada com entender as experiências iniciais de luta, por parte do proletariado, no enfrentamento com a burguesia e seu aparato estatal, tanto na Comuna de 1871, em Paris, como na experiência derrotada de 1905, na Rússia, e ainda na derrota da Revolução na Alemanha, em 1919, além do processo vitorioso da Revolução de 1917.

Objetivamente, Lênin não se perde em ilusões sobre as formas organizativas do Estado burguês. Na imediata conexão entre a Comuna de 1871 e a Revolução de 1905 na Rússia, procura compreender as positividades daqueles movimentos, mas também, e principalmente, encontrar os limites e pontos vulneráveis da ação revolucionária. No caso da Comuna francesa, vê positividades como a abolição do exército e da burocracia estatal, a eleição dos funcionários públicos, a instituição da educação gratuita, a entrega das fábricas aos trabalhadores etc., mas encontra um equívoco fatal na *não tomada dos bancos* por parte dos *communards*. Se conectarmos os equívocos da Comuna aos debates travados em 1905, no âmbito da social-democracia russa, com os novo-iskristas ou mencheviques, poderemos comparar a crítica à vacilação econômica dos *communards* com a do proletariado russo e sua desorganização revolucionária. Sob essa óptica, Lênin se debruça sobre a análise do processo revolucionário, pesquisando particularmente os elementos objetivos que determinaram a derrota da Revolução de 1905, tendo como referência nesse processo, além da própria classe trabalhadora russa, as experiências vivenciadas pelo conjunto da classe na Comuna de Paris de 1871.

No âmbito do debate sobre a ação revolucionária dos trabalhadores, Lênin diferencia a postura dos democratas da classe operária frente aos democratas burgueses, demarcando o plano de classe das concepções sobre a democracia. Como acentuei em outro lugar,

> Há toda uma argumentação, mais tarde recuperada por Lukács, que procura articular o próprio avanço da democracia burguesa com o avanço das lutas e da organização operárias e, consequentemente, com o alargamento dos espaços de conquistas dos trabalhadores.[11]

Como podemos averiguar, reverberam em sua produção as análises críticas sobre as questões complexas vividas pelo proletariado francês em 1871, particularmente, a deficiência em consolidar alianças com frações de classes populares, a frágil organização dos trabalhadores e a incapacidade de se construir um campo de classe que possibilitasse a radicalização da democracia, na perspectiva da objetivação de uma *hegemonia proletária*. Essa crítica estende-se também ao proletariado russo, em sua ação de 1905, já que na concepção lenineana não era suficiente arquitetar uma frente ampla democrática contra a autocracia tsarista[12]. É o que Lukács irá definir como luta pela democracia socialista, isto é, o processo de longa duração de *democratização, substantivado pelo nivelamento dos direitos conquistados pelas lutas dos trabalhadores contra a igualdade idealizada posta pelo Estado Burguês*[13]. Evidencia-se, assim, que o avanço da luta pelo *aprofundamento da democracia* pressupõe a construção de uma nova hegemonia que desmantele os elementos formais de representação existentes na forma societal do capital, na óptica da consolidação de uma *democracia que se substantive* na perspectiva dos trabalhadores. Nesse sentido, a superação do elemento jurídico-político constitutivo da sociedade burguesa (*bürgerliche Gesellschaft*) e de

[11] Ver Antonio Carlos Mazzeo, "Notas sobre Lênin e a Comuna", *Novos Temas*, n. 4, 2011, p. 106.

[12] Como afirmou Lênin: "Do ponto de vista proletário, a hegemonia na guerra pertence àquele que luta com mais energia, que se vale de qualquer ocasião para desferir golpes no inimigo, alguém cujas palavras não diferem da prática, que é, por isso, o líder ideológico da democracia, que critica cada indecisão". Ver Vladímir Ilitch Lênin, "A democracia operária e a democracia burguesa" (neste volume, p. 191).

[13] Ver György Lukács, "O processo de democratização", em *Socialismo e Democratização* (trad. Carlos Nelson Coutinho e José Paulo Netto, Rio de Janeiro, Editora UFRJ, 2008), p. 92-3.

sua democracia – que representa a mera "abolição" *abstrata* da propriedade privada, no âmbito da alienação posta pela fragmentação das relações sociais na sociedade capitalista – está na capacidade do proletariado em subverter o conteúdo formal da democracia, afirmando-a em sua radicalidade, numa práxis *antitética de afirmação-negação*, rumo a sua extinção.

O fundamento teórico lenineano se expressa no complexo categorial que Marx e Engels desenvolveram para analisar os alicerces históricos do Estado. No entanto, em *nenhum momento* Lênin considera a existência de uma "teoria acabada" sobre o Estado (ou sobre seu gerenciamento) na obra marxo-engelsiana, enfatizando exatamente a *necessidade* da *superação/destruição* do Estado. Quer dizer, somente é possível radicalizar a democracia e levá-la a níveis de realização e profundidade impossíveis para a burguesia integrando-a dialeticamente com a luta pela superação e extinção do Estado e, contraditoriamente, com a *superação da própria democracia*. Como ressaltou em seu *O Estado e a revolução*, antes de tudo é necessário desvelar o caráter da democracia existente na sociedade capitalista e sua *subsunção estrutural* à ordem burguesa[14]. De modo que, para Lênin, no processo de radicalização revolucionária da democracia é fundamental consolidar a hegemonia dos trabalhadores – na senda da análise marxiana sobre a Comuna de 1871 – por meio da construção da *ditadura do proletariado*. Como salientou:

> A ditadura do proletariado, isto é, a organização de vanguarda dos oprimidos em classe dominante para o esmagamento dos opressores, não pode limitar-se pura e simplesmente, a um alargamento da democracia. Ao *mesmo tempo* que produz uma considerável ampliação da democracia, que torna-se *pela primeira vez* a democracia dos pobres, a do povo, e não mais apenas a da gente rica, a ditadura do proletariado acarreta uma série de restrições à liberdade dos opressores, dos exploradores, dos capitalistas.[15]

No caso *concreto* da Rússia de 1917, essa foi a perspectiva revolucionária; ou seja, a luta pelo aprofundamento da democracia se deu inserida imediatamente no movimento de consolidação da hegemonia proletária, isto é, na

[14] Ver Vladímir Ilitch Lênin, *O Estado e a revolução*, cit., p. 113 e seg.

[15] Ibidem, p. 114 (grifos do autor).

própria construção do socialismo. Nesse processo, a democracia radicalizada sob a forma de *ditadura do proletariado* deveria também ter como elemento fundante a desconstrução progressiva do Estado, que deveria ser gradativamente substituído pelas comunas/sovietes. Como ressaltou em uma carta de 1919, dirigida ao proletariado estadunidense, publicada na revista *Liberator:* "Os sovietes de operários e camponeses são um novo tipo de Estado, *a mais alta forma de democracia, característica da ditadura do proletariado*, um modo de dirigir os negócios do Estado sem a burguesia e contra ela"[16].

Nessa perspectiva, para Lênin, a luta pela *democracia substantiva* e seu aprofundamento é, objetivamente, a luta pela liberdade e pela emancipação humana.

[16] Ver Vladímir Ilitch Lênin, *Obras escolhidas em três tomos*, v. 2 (Lisboa/Moscou, Avante!, 1977), p. 677.

TEXTOS ESCOLHIDOS

1. SOBRE "DEMOCRACIA" E DITADURA[1]

Os poucos números que chegaram a Moscou da revista berlinense *Bandeira vermelha* e da vienense *Der Weckruf* [O apelo], órgão do Partido Comunista Alemão da Áustria, mostram que os traidores do socialismo, aqueles que apoiaram a guerra imperialista de rapina, todos esses Scheidemann e Ebert, Austerlitz e Renner, encontram suficiente oposição por parte dos verdadeiros representantes dos proletários revolucionários da Alemanha e da Áustria. Saudamos calorosamente ambos os órgãos, que assinalam a vivacidade e o crescimento da Segunda Internacional.

Ao que parece, o principal problema da revolução tanto na Alemanha quanto na Áustria reside na seguinte questão: Assembleia Constituinte ou poder dos sovietes? Os representantes da bancarrota da Segunda Internacional, todos, de Scheidemann a Kautsky, são pela primeira, e chamam seu ponto de vista de "democracia" (Kautsky chegou a falar de "democracia pura") em oposição à ditadura. As visões de Kautsky eu desmontei em detalhes na brochura que acaba de sair em Moscou e em Petrogrado: "A revolução proletária e o renegado Kautsky"[2]. Tentarei expor de modo breve a essência do debate em questão, que praticamente se coloca agora na ordem do dia de todos os países capitalistas avançados.

Scheidemann e Kautsky falam em "democracia pura" ou "democracia" em geral para enganar as massas e esconder-lhes o caráter *burguês* da democracia *contemporânea*. Deixe que a burguesia continue a conservar em

[1] Escrito em dezembro de 1918, este artigo foi publicado originalmente no jornal Правда/*Pravda* [Verdade], n. 2, 3 jan. 1919. Esta versão foi traduzida por Paula Vaz de Almeida com base em Vladímir Ilitch Lênin, *Pólnoie sobránie sotchiniéni*, v. 37 (5. ed., Moscou, Izdátchelstvo Polititcheskoi Literatury, 1969), p. 388-93. (N. E.)

[2] Ver, neste volume, p. 63. (N. E.)

suas mãos todo o aparato de poder do Estado, deixe que um punhado de exploradores continue a usar a mesma máquina estatal burguesa. Eleições produzidas em tais condições a burguesia gosta de chamar – é compreensível – de "livres", "igualitárias", "democráticas", "universais", pois essas palavras servem para encobrir a verdade, para encobrir o fato de que a propriedade dos meios de produção e o poder político continuam a permanecer com os exploradores; é por isso que em igualdade para os explorados, ou seja, para a imensa maioria da população, não se pode sequer falar. Para a burguesia, é lucrativo e necessário encobrir do povo o caráter *burguês* da democracia burguesa, representar-lhes a democracia em geral ou "a democracia pura", e os Scheidemann, assim como os Kautsky, repetindo isso, *na prática* abandonam o ponto de vista do proletariado e passam para o lado da burguesia.

Marx e Engels, quando assinaram juntos, pela última vez, o prefácio ao *Manifesto Comunista* (isso foi em 1872)[3], consideravam imprescindível chamar a atenção dos operários especialmente ao fato de que o proletariado não pode simplesmente se apossar da máquina do Estado já pronta (ou seja, burguesa) e colocá-la no curso de seus objetivos, mas deve quebrá-la, demoli-la. O renegado Kautsky escreveu uma brochura inteira sobre a *Ditadura do proletariado*, escondendo dos operários essa importante verdade marxista, distorcendo a raiz do marxismo, e bem entendido que os elogios derramados por Scheidemann e cia. a essa brochura foram completamente merecidos, como os elogios dos agentes da burguesia àqueles que passam para o lado da burguesia.

Falar em democracia pura, democracia em geral, igualdade, liberdade, universalidade, quando os operários e trabalhadores estão famintos, maltrapilhos, arruinados e esgotados, não apenas pela escravidão dos mercenários capitalistas, mas por quatro anos de uma guerra de rapina, enquanto os capitalistas e os exploradores continuam a dominar as "propriedades" roubadas e o aparato "pronto" do poder de Estado, significa zombar dos trabalhadores e dos explorados. Isso simboliza um ataque aos fundamentos

[3] Ver Karl Marx e Friedrich Engels, *Manifesto Comunista* (trad. Álvaro Pina, São Paulo, Boitempo, 2010), p. 71-2. (N. E.)

do marxismo, que ensinou aos operários: vocês devem usar a democracia burguesa como um progresso enorme em comparação ao feudalismo, mas nem por um instante se esqueçam do caráter burguês dessa "democracia", não esqueçam que o Estado, tanto sob a mais democrática república burguesa quanto sob a monarquia, não passa de uma máquina para a opressão de uma classe pela outra.

A burguesia é obrigada a falsificar a verdade e chamar de "governo do povo", ou democracia em geral, ou democracia pura, a república democrática (*burguesa*), que representa, na prática, a ditadura da burguesia, a ditadura dos exploradores sobre as massas de trabalhadores. Scheidemann e Kautsky, Austerlitz e Renner (agora, infelizmente, com a ajuda de Friedrich Adler) apoiam essa mentira e essa hipocrisia. No entanto, os marxistas, os comunistas, denunciam-nas e falam aos operários e às massas de trabalhadores a verdade nua e crua: na prática, a república democrática, a Assembleia Constituinte, as eleições universais etc. são a ditadura da burguesia e, para emancipar o trabalho do jugo do capital, não há outro caminho a não ser a substituição dessa ditadura pela *ditadura do proletariado*. Apenas a ditadura do proletariado será capaz de libertar a humanidade da opressão do capital, da mentira, da falsificação, da hipocrisia da democracia burguesa, dessa democracia *para os ricos*; será capaz de estabelecer a democracia *para os pobres*; ou seja, tornar os bens da democracia acessíveis *de fato* para trabalhadores e camponeses pobres, uma vez que hoje (e até mesmo na república – *burguesa* – mais democrática) esses bens da democracia são *de fato* inacessíveis à grande maioria dos trabalhadores.

Tomemos, por exemplo, a liberdade de associação e a liberdade de imprensa. Scheidemann e Kautsky, Austerlitz e Renner convencem os operários de que as atuais eleições para a Assembleia Constituinte na Alemanha e na Áustria transcorrem "democraticamente". Isso é mentira, pois, *na prática*, capitalistas, exploradores, proprietários, especuladores concentram em suas mãos nove décimos dos melhores prédios adequados a reuniões e nove décimos dos estoques de papel, além das tipografias, e assim por diante. Os trabalhadores nas cidades, os lavradores e os diaristas no campo, *na prática*, estão alijados da democracia, tanto por esse "sagrado direito à propriedade" (defendido pelos senhores Kautsky e Renner, aos quais se juntou, infelizmente, Friedrich Adler) quanto pelo aparato burguês do poder de Estado, ou seja, pelo funcionalismo burguês, pelos tribunais burgueses, e assim por diante. A "liberdade de associação e de imprensa" na república "democrática" (democrática-burguesa) alemã dos dias de hoje é uma mentira e uma hipocrisia, pois *na prática* é a *liberdade dos ricos* para comprar e subornar a imprensa, *liberdade dos ricos* para confundir o povo por meio das mentiras venenosas dos jornais burgueses, *liberdade dos ricos* para manter as "propriedades" das casas senhoriais, dos melhores edifícios etc. A ditadura do proletariado vai arrancar dos capitalistas, em favor dos trabalhadores, as casas senhoriais, os melhores edifícios, as tipografias, os estoques de papel.

Isso será a substituição da democracia "universal" ou "pura" pela "ditadura de uma classe", bradam os Scheidemann e os Kautsky, os Austerlitz e os Renner (junto com seus partidários estrangeiros Gompers, Henderson, Renaudel, Vandervelde etc.).

Não é verdade – respondemos nós. Será a substituição da ditadura burguesa de fato (que hipocritamente assume a forma de república democrática burguesa) pela ditadura do proletariado. Será a substituição da democracia para os ricos pela democracia para os pobres. Será a substituição da liberdade de associação e de imprensa para a minoria, para os exploradores, pela liberdade de associação e de imprensa para a *maioria* da população, para os trabalhadores. Será uma gigantesca, universalmente histórica, *ampliação* da democracia, transformando-a de mentira em verdade, com a emancipação da humanidade dos grilhões do capital, que *distorce* e mutila qualquer democracia *burguesa*, mesmo a mais "democrática" e republicana. Será a substituição do Estado burguês pelo Estado *proletário*, mudança que é o único caminho para o definhamento e a morte do Estado em geral.

"Por que, afinal, é impossível alcançar tal objetivo sem a ditadura de uma classe?", "Por que é impossível passar diretamente a uma democracia 'pura'?", perguntam os hipócritas amigos da burguesia ou os ingênuos *kleinbürger*[4] e filisteus enganados por ela.

[4] Em cirílico transliterado para o alemão: "pequeno-burguês". (N. T.)

Nós respondemos: porque em qualquer sociedade capitalista são decisivos ou a burguesia ou o proletariado, enquanto os pequenos proprietários permanecem inevitavelmente como sonhadores vacilantes, impotentes e tolos, fantasiando a democracia "pura", isto é, extraclasses ou supraclasses. Porque é impossível sair de uma sociedade na qual uma classe oprime a outra sem a ditadura da classe oprimida. Porque vencer a burguesia, derrubá-la, só é possível para o proletariado, única classe unificada e "disciplinada" pelo capitalismo, capaz de entusiasmar a massa vacilante de trabalhadores que vivem como pequeno-burgueses; entusiasmá-la ou, pelo menos, "neutralizá-la". Porque apenas os dóceis pequeno-burgueses e filisteus podem sonhar com a derrota do jugo do capital sem um longo e duro *esmagamento da resistência* dos exploradores, enganando com esses sonhos a si mesmos e aos operários. Na Alemanha e na Áustria, essa resistência ainda não se desenrolou abertamente, pois não teve início ainda a expropriação dos exploradores. Essa resistência será desesperada e frenética tão logo se inicie essa expropriação. Ao escondê-lo de si e dos operários, os Scheidemann e os Kautsky, os Austerlitz e os Renner consumam a traição dos interesses do proletariado, passando, no momento mais decisivo, da posição da luta de classes e da derrubada dos grilhões da burguesia para a posição de conciliadores do proletariado com a burguesia, para a posição da "paz social" ou da reconciliação dos exploradores com os explorados.

As revoluções são a locomotiva da história, disse Marx[5]. A revolução ensina rapidamente. Os operários urbanos e os lavradores das aldeias na Alemanha e na Áustria vão perceber depressa a traição à causa do socialismo por parte dos Scheidemann e dos Kautsky, dos Austerlitz e dos Renner. O proletariado vai rechaçar esses "sociais-traidores" – socialistas nas palavras, traidores do socialismo na prática – como rechaçou na Rússia os mesmos pequeno-burgueses e filisteus, mencheviques e "socialistas-revolucionários". O proletariado verá – quanto mais completo se tornar o domínio dos ditos "líderes" – que apenas a substituição do Estado burguês, mesmo aquele da

[5] Ver Karl Marx, *As lutas de classes na França de 1848 a 1850* (trad. Nélio Schneider, São Paulo, Boitempo, 2012), p. 132. (N. E.)

mais democrática república burguesa, por um Estado do tipo da Comuna de Paris[6] (sobre a qual tanto falou Marx, deturpado e traído pelos Scheidemann e pelos Kautsky) ou por um Estado do tipo dos sovietes é capaz de abrir o caminho para o socialismo. A ditadura do proletariado vai libertar a humanidade do jugo do capital e das guerras.

[6] Ver, neste volume, p. 187. (N. E.)

2. COMO ENGANAR O POVO COM AS PALAVRAS DE ORDEM DA LIBERDADE E DA IGUALDADE[1]

Camaradas, permitam-me oferecer, em vez de uma avaliação do momento atual que alguns de vocês esperavam para hoje, uma resposta às questões políticas mais essenciais, não apenas teóricas, certamente, mas também práticas que se colocam agora diante de nós, que caracterizam toda a etapa da revolução soviética e que suscitam a maioria das disputas, a maioria dos ataques por parte de pessoas que se consideram socialistas, a maioria das incompreensões por parte das pessoas que se consideram democratas e, com especial disposição e especial amplitude, espalham acusações de que violamos a democracia. Eu acho que essas questões políticas gerais, com frequência e até constantemente, encontram-se em toda a propaganda e em toda a agitação atuais, em toda a literatura inimiga do bolchevismo; e, claro, essa literatura se eleva, ainda que só um pouco, acima do nível da simples mentira, da calúnia e da injúria, cujo caráter está presente em todos os órgãos da burguesia. Se pegarmos a literatura, mesmo que só um pouco mais elevada, acredito que suas questões fundamentais sejam sobre a relação entre a democracia e a ditadura, sobre as questões da classe revolucionária no período revolucionário, sobre as questões da transição ao socialismo em geral, sobre as relações da classe trabalhadora e camponesa; parece-me que tais questões representam a base fundamental de todos os debates políticos contemporâneos e a elucidação delas – ainda que às vezes lhes possa parecer, talvez, que fuja um tanto da ordem imediata do dia –, a elucidação dessas questões, entretanto, penso que deve

[1] Proferido no encerramento do *I Congresso Panrusso de Educação Extraescolar*, realizado em Moscou de 6 a 19 de maio de 1919, este discurso foi publicado por Lênin em *Dois discursos no I Congresso Panrusso de Educação Extraescolar* (Moscou, Izdánie Otdiela Vniechkólnogo Obrazavánie N. K. P., 1919). Esta versão foi traduzida por Paula Vaz de Almeida com base em Vladímir Ilitch Lênin, *Pólnoie sobránie sotchiniéni*, v. 38 (5. ed., Moscou, Izdátchelstvo Polititcheskoi Literatury, 1969), p. 333-71. (N. E.)

constituir nossa principal tarefa geral. É evidente que não posso, neste breve resumo, de modo algum, pretender abarcar todas essas questões.

I

A primeira questão que escolhi é a questão das dificuldades de cada revolução, de cada transição para um novo regime. Se observarmos os ataques que chovem sobre os bolcheviques por parte de pessoas que se consideram socialistas ou democratas – como amostra, posso citar os grupos literários всегда вперeди/*Vssiegdá Vperied!* [Sempre adiante!][2] e Дело народа/*Dielo Naroda* [A causa do povo][3] –, veremos que se trata de jornais que foram fechados, a meu ver, com toda correção e pelos interesses da revolução; jornais cujos representantes, em seus ataques, assumem com muita frequência uma postura mais comum à dos órgãos que nosso poder considera contrarrevolucionários, e recorrem com muita frequência à crítica teórica – de modo que, ao observar os ataques que dirigem ao bolchevismo nessa área, veremos que entre as acusações, não raras vezes, figura o seguinte: "Os bolcheviques, trabalhadores, prometeram pão, paz e liberdade, e não deram nem o pão, nem a paz, nem a liberdade; eles os enganaram, enganaram porque renunciaram à democracia". Sobre tal renúncia da democracia, tratarei em separado. Agora, considero o outro lado dessa acusação: "Os bolcheviques prometeram pão, paz e liberdade, os bolcheviques deram, na prática, guerras contínuas, deram uma luta especialmente brutal e especialmente acirrada, uma guerra de todos os imperialistas, dos capitalistas de todos os países da Entente, de todos, portanto, os países civilizados e avançados contra uma Rússia devastada, sofrida, atrasada e cansada". Esses ataques, repito, vocês verão em cada um dos jornais citados, ouvirão em cada conversa da *intelligentsia* burguesa, que, claro, não se considera burguesa; vocês ouvirão constantemente em cada discurso filisteu. É por isso que os convido a pensar em semelhante tipo de acusação.

[2] Publicação menchevique que circulou em Moscou de 22 de janeiro a 25 de fevereiro de 1919. (N. E.)

[3] Jornal diário do Partido Socialista Revolucionário, em funcionamento entre 1917 e 1919. Foi encerrado por atividade contrarrevolucionária. (N. E.)

Sim, os bolcheviques fizeram uma revolução contra a burguesia, a derrubada violenta do governo burguês, o rompimento com todos os costumes tradicionais, com as promessas e os mandamentos da democracia burguesa, a luta e a guerra mais arriscadas e violentas para o esmagamento das classes possuidoras; fizeram-no para arrancar a Rússia, e em seguida também toda a humanidade, da guerra imperialista e a fim de acabar com todas as guerras. Sim, os bolcheviques fizeram a revolução para isso e, claro, jamais vão abdicar de sua fundamental e principal tarefa. Do mesmo modo, é inegável que a tentativa de sair dessa guerra imperialista, de derrubar o Estado burguês, atraiu para a Rússia uma cruzada de todos os Estados civilizados. Isso porque se trata do programa político da França, da Inglaterra e dos Estados Unidos, por mais que eles afirmem ter desistido da intervenção. Por mais que Lloyd George, Wilson e Clemenceau afirmem que desistiram da intervenção, todos sabemos que isso é uma mentira. Sabemos que as embarcações militares dos aliados, forçadas a deixar Odessa e Sebástopol, estão bloqueando a costa do mar Negro e até bombardeiam o entorno de Kerch, naquela parte da península da Crimeia onde se assentaram os voluntários. Eles dizem: "Isso não lhes podemos dar. Mesmo que os voluntários não lhes liquidem, de todo modo não podemos entregar essa parte da península da Crimeia, porque vocês vão dominar o mar de Azov, impedir nosso acesso a Dienikin, não nos deixando a possibilidade de entregar provisões a nossos amigos". Ou desenrola-se esta ofensiva contra Petrogrado: ontem houve uma batalha de um contratorpedeiro nosso contra quatro contratorpedeiros de nossos adversários. Será que não está claro que se trata de uma intervenção? Será que a frota inglesa não teria parte nisso? Será que não está acontecendo o mesmo em Arkhánguelsk[4], na Sibéria? O fato é este: todo o mundo civilizado está agora contra a Rússia.

É preciso perguntar: fomos nós que caímos em contradição com nós mesmos quando convocamos os trabalhadores para a revolução prometendo-lhes a paz e levamos à cruzada de todo o mundo civilizado contra uma Rússia fraca, cansada, isolada, escravizada, ou caem eles em contradição com

[4] Atual Arcangel. (N. T.)

os conceitos elementares de democracia e de socialismo, com a desfaçatez de nos dirigir semelhante repreensão? Eis a questão. Para lhes colocar essa questão de forma teórica geral, recorro a uma comparação. Falamos em classe revolucionária, em política revolucionária do povo, e eu lhes proponho tomar um revolucionário em particular. Tomemos ainda que seja Tchernyschiévski, apreciemos sua atuação. Como alguém ignorante e obtuso poderia apreciá-la? Provavelmente, dirá: "Muito bem, é um homem que estragou a própria vida, foi parar na Sibéria, não conseguiu nada". Eis o exemplo. Se ouvirmos semelhante comentário sem saber de quem provém, então diremos: "No melhor dos casos, vem de uma pessoa irremediavelmente obtusa, inocente, que talvez aja assim por não conseguir entender o significado da atividade de um revolucionário em particular em conexão com a cadeia geral dos acontecimentos revolucionários; ou que esse comentário vem de um canalha, defensor da reação, que conscientemente afasta os trabalhadores da revolução". Tomei o exemplo de Tchernyschiévski, porque qualquer que seja a tendência a que pertençam as pessoas que se autodenominam revolucionárias, aqui, na avaliação deste revolucionário em particular, não pode haver desacordos essenciais. Todos concordarão que, se avaliamos um revolucionário em particular do ponto de vista dos sacrifícios exteriores, inúteis e muitas vezes infrutíferos, feitos por ele, deixando de lado o conteúdo de sua atividade em conexão com os revolucionários anteriores e posteriores, se assim se avalia sua atividade, é devido a uma obtusidade e a uma ignorância desesperadoras, ou por uma defesa maligna e hipócrita dos interesses da reação, da opressão, da exploração e da dominação de classe. Quanto a isso, não pode haver divergências.

Agora lhes convido a passar do revolucionário em particular à revolução de todo o povo, de todo o país. Por acaso um dos bolcheviques alguma vez negou que a revolução pode vencer em sua forma acabada apenas quando ela abarcar todo ou, pelo menos, alguns dos mais importantes países avançados? Isso nós sempre dissemos. Será que afirmamos que a saída da guerra imperialista seria possível simplesmente cravando as baionetas no chão? Uso de propósito essa expressão, que usávamos na época de Keriénski – tanto eu, pessoalmente, quanto nossos camaradas – empregando-a constantemente nas resoluções, nos discursos e nos jornais. Dizíamos: se há tolstoístas[5] que pensam assim, é preciso ter pena dessas pessoas insensatas, das quais, ademais, nada se pode esperar.

Nós dissemos que a saída da guerra poderia significar uma guerra revolucionária. Isso nós já falávamos desde 1915 e, depois, na época de Keriénski. Além disso, claro, a guerra revolucionária é também uma guerra, tão dura, sangrenta e penosa quanto qualquer outra. No entanto, quando se torna revolucionária em escala mundial, ela suscita, inevitavelmente, uma resistência também em escala mundial. E, por isso, quando agora nos encontramos em uma posição em que todo o mundo civilizado entrou em campanha contra a Rússia, não podemos ficar surpresos se são lançadas acusações de violação de nossas promessas por mujiques completamente obtusos; nós dizemos: não se pode esperar deles outra coisa. Eles não têm culpa de sua completa obtusidade, de sua extrema ignorância. Como, na prática, se vai exigir do camponês completamente obtuso que entenda que existem guerras e guerras, que acontecem guerras justas e injustas, progressistas e reacionárias, guerras das classes avançadas e das classes conservadoras, guerras empreendidas para consolidar a dominação de classe e guerras empreendidas para sua derrubada? Para isso, é preciso compreender a luta de classes, os fundamentos do socialismo e, ainda que só um pouco, a história da revolução. E isso não podemos exigir do camponês obtuso.

Contudo, se a pessoa se denomina democrata, socialista, sobe em uma tribuna e se declara publicamente, independentemente de como se denomine – menchevique, social-democrata, SR[6], verdadeiro socialista, partidário da Internacional de Berna; há diversas denominações, denominações são baratas –, se um sujeito assim nos dirige a acusação: "Vocês prometeram a paz e entregaram a guerra!", o que devemos lhe responder? Poderíamos supor que decaiu a um grau de obtusidade como o do camponês ignorante que

[5] Adeptos do "tolstoísmo", movimento social baseado no pensamento filosófico e religioso de Liev Tolstói, romancista russo (1828-1910). (N. E.)

[6] Referência ao partido dos socialistas-revolucionários. Em russo, usa-se o acrônimo эсеры (*esséri*); aqui, preferimos o uso da sigla por adequação ao padrão da língua portuguesa, já que se trata, em russo, da transcrição fonética da sigla. (N. T.)

não consegue distinguir guerras e guerras? Seria possível tolerar que ele não entende a diferença entre uma guerra imperialista, uma guerra de rapina já completamente exposta – depois do Tratado de Versalhes, apenas os que são absolutamente incapazes de raciocinar e pensar ou os absolutamente cegos não podem ver que ela foi de rapina em ambos os lados –, que não entende a diferença entre aquela guerra, uma guerra de rapina, e a nossa guerra, que por isso ganha proporções mundiais, que a burguesia mundial entendeu que, contra ela, está em curso uma batalha decisiva? Nada disso podemos supor. E é por isso que dizemos: qualquer um que se diga democrata ou socialista, de quaisquer matizes, e que de um modo ou de outro, direta ou indiretamente, difunda entre o povo acusações de que os bolcheviques prolongam a guerra civil, uma guerra dura, uma guerra dolorosa, enquanto prometiam a paz, está do lado da burguesia, e nós vamos lhe responder assim e vamos nos enfrentar um contra o outro, assim como contra Koltchak – é essa a nossa resposta. É disso que se trata.

Os senhores do *Dielo Naroda* se surpreendem: "Mas nós também estamos contra Koltchak; com que flagrante injustiça nos perseguem".

É uma pena, senhores, que vocês não queiram ligar os pontos e não queiram compreender o mais simples alfabeto político do qual se tiram determinadas conclusões. Vocês acreditam que estão contra Koltchak. Pego os jornais *Vssiegdá Vperied!* e *Dielo Naroda*, pego todo tipo de argumentos filisteus semelhantes a estados de ânimo como esses que compõem a massa da *intelligentsia*, eles predominam na *intelligentsia*. Eu digo: cada um de vocês que difunde entre o povo argumentos desse tipo é um koltchakista, porque não entende a diferença mais elementar, básica, compreensível para qualquer pessoa alfabetizada, entre a guerra imperialista que nós destruímos e a guerra civil em que incorremos. Jamais escondemos do povo que corríamos esse risco. Empregamos todas as forças para vencer a burguesia nessa guerra civil e minar na raiz a possibilidade do domínio de classe. Não, não houve e não poderia haver uma revolução que garantisse que a luta não seria longa, dura e, talvez, repleta dos mais arriscados sacrifícios. Aquele que não consegue diferenciar os sacrifícios exigidos no curso de uma luta revolucionária, com vistas à vitória, quando todos os possuidores, todas as classes revolucionárias se batem contra a revolução, aquele que não consegue diferenciar esses sacrifícios dos sacrifícios de uma guerra de rapina exploradora é um represente da mais aguda obtusidade, e a ele deve-se dizer: é preciso se debruçar sobre o alfabeto e, antes da educação extraescolar, submetê-lo à educação primária, seja ele representante da hipocrisia koltchakista mais nefasta, seja lá como se chame ou sob qual denominação se oculte. E tais acusações contra os bolcheviques são as mais comuns e mais "vendáveis". Essas acusações estão, de fato, ligadas a uma ampla massa de trabalhadores, pois é difícil que o camponês obtuso as compreenda. Ele sofre com a guerra do mesmo jeito, seja por que for esta guerra. Não me surpreende quando ouço do campesinato obtuso tais comentários: "Combatemos pelo tsarismo, combatemos pelos mencheviques, e agora ainda vamos combater pelos bolcheviques?". Isso não me surpreende. De fato, guerra é guerra, ela traz consigo duros e intermináveis sacrifícios. "O tsar falou que era pela liberdade e pela libertação do jugo, os mencheviques falaram que era pela liberdade e pela libertação do jugo, agora os bolcheviques falam o mesmo. Todos falam, como vamos entender?!".

De fato, como o camponês obtuso vai entender? Essas pessoas devem, ainda, aprender a alfabetização política elementar. Mas o que se pode dizer de uma pessoa que se exprime por meio de palavras como "revolução", "democracia", "socialismo", que pretende empregar essas palavras como se as entendesse? Não se pode fazer malabarismos com as palavras se não se quer converter em um trapaceiro político, pois a diferença entre uma guerra entre dois grupos de predadores e uma guerra conduzida pela classe oprimida que se levanta contra qualquer predador é elementar, radical e básica. A questão não é se um ou outro partido, uma ou outra classe, um ou outro governo justifica a questão; a questão é qual o conteúdo dessa guerra, qual seu conteúdo de classe, qual a classe que conduz a guerra, qual política se encarna na guerra.

II

Da questão da avaliação do duro e difícil período que estamos atravessando e que está inegavelmente ligado à revolução, passemos a outra questão política que não raro aparece em todas as discussões e suscita perplexidades: a questão do bloco com os imperialistas, da aliança, do acordo com os imperialistas.

Vocês, provavelmente, encontraram nos jornais os nomes dos socialistas-revolucionários Vólski e Sviátitski, que escreveram nos últimos tempos também para o *Известия/Izviéstia* [Notícias][7], que lançaram seu manifesto, que se consideram exatamente socialistas-revolucionários, que é impossível acusá-los de koltchakistas: que eles deixaram Koltchak, que sofreram com Koltchak, que eles, ao vir até nós, nos prestaram serviços contra Koltchak. É verdade. Examinemos, porém, os argumentos desses cidadãos, examinemos como avaliam a questão do bloco com os imperialistas, sobre a aliança ou o acordo com os imperialistas. Tive a oportunidade de conhecer seus argumentos quando seus escritos foram apreendidos por nosso poder que lutava contra a contrarrevolução e quando foi preciso conhecer os documentos deles para avaliar sua implicação na *koltchakovschina*[8]. É, certamente, o melhor do pessoal dos SRs. E em seus escritos encontrei este tipo de argumento: "Que esperem nosso arrependimento; que esperem que vamos nos arrepender. Por nada, nunca! Não temos do que nos arrepender! Nos acusam de ter feito um bloco, um acordo com a Entente, com os imperialistas. E vocês, bolcheviques, por acaso não fizeram um acordo com os imperialistas alemães? E o que é Brest-Litovsk[9]? Vocês fizeram um acordo com os imperialistas alemães em Brest-Litovsk, nós fizemos um acordo com os imperialistas franceses – estamos quites, não temos do que nos arrepender!".

Essa argumentação que encontrei nos escritos das pessoas citadas e de quem pensa como eles, encontro quando me lembro dos jornais citados, quando tento fazer um balanço das impressões das conversas dos filisteus. Esse argumento vocês encontram com frequência. Esse é um dos argumentos

[7] Jornal diário oficial do poder soviético, fundado em São Petersburgo em 1917, em funcionamento até a dissolução da União Soviética, em 1991. (N. E.)

[8] O sufixo *-vschina* adicionado a nomes, mais frequentemente a nomes próprios, significa uma revolta levada a cabo por determinada figura; neste caso, refere-se à atuação de Aleksandr Koltchak durante a guerra civil. (N. T.)

[9] Tratado de paz assinado entre os bolcheviques e as Potências Centrais (Alemanha, Império Austro-Húngaro, Bulgária e Império Otomano) em março de 1918, ratificando a saída da Rússia da Primeira Guerra Mundial. (N. E.)

políticos básicos com que é preciso se ocupar. E assim lhes proponho que se detenham no exame, na análise, na reflexão teórica sobre essa argumentação. Qual é seu significado? Será verdade isso que eles dizem: "Nós, democratas, socialistas, fizemos um bloco com a Entente, vocês fizeram um bloco com Guilherme[10], selaram o Tratado de Brest-Litovsk, não temos nada que reprovar um do outro, estamos quites"? Ou estamos certos nós quando dizemos que demonstra, não apenas nas palavras, mas na prática, o acordo com a Entente contra a revolução bolchevique a essência dos koltchakistas? Ainda que neguem 100 mil vezes, ainda que eles, pessoalmente, tenham deixado Koltchak e declarado a todo o povo que são contra Koltchak, eles são koltchakistas na raiz, devido a todo o conteúdo e o significado de sua argumentação e de sua prática. Quem está certo? Essa é uma questão fundamental da revolução, e sobre ela é preciso pensar.

Para descortinar essa questão, permito-me fazer uma comparação, dessa vez não com um revolucionário em particular, mas com um filisteu em particular. Imagine que seu carro está cercado de bandidos e que lhe colocam o revólver na cabeça. Imagine que, diante disso, você entrega aos bandidos o dinheiro e uma arma, permitindo que eles partam com o carro. De que se trata? Você deu a bandidos arma e dinheiro. Isso é fato. Agora, imagine que outro cidadão ofereceu aos bandidos arma e dinheiro a fim de tomar parte na aventura desses bandidos contra cidadão pacíficos.

Há um acordo em ambos os casos. Se escrito ou não, se verbal ou não, não é o essencial. É possível imaginar uma pessoa que entrega seu revólver, sua arma, seu dinheiro sem dizer palavra. E ela pode dizer aos bandidos: "Eu lhes dou o revólver, a arma e o dinheiro, vocês me oferecem a possibilidade de me afastar da sua agradável companhia" [risos]; está na cara o acordo. Do mesmo modo, é possível que um acordo tácito seja feito pela pessoa que entrega a arma e o dinheiro aos bandidos para que eles roubem outros a fim de depois receber parte do espólio. Isso também é um acordo tácito.

Eu lhes pergunto, existe pessoa instruída que não consiga diferenciar os dois acordos? Vocês me dirão: com certeza é um cretino se de fato é incapaz

[10] Referência a Guilherme II (1859-1941), tsar do Império Alemão. (N. T.)

de diferenciar entre um e outro acordo e diz: "Você deu arma e dinheiro a bandidos, então não acuse ninguém de banditismo; como você teria o direito de acusar alguém de banditismo depois disso?". Se vocês encontrarem um indivíduo instruído assim, devem admitir, ou em todo caso 999 de 1.000 admitiriam, que não é uma pessoa em posse de suas faculdades e que com alguém assim é impossível debater não apenas sobre política, mas sobre qualquer assunto criminal.

Agora lhes convido a passar desse exemplo à comparação do Tratado de Brest-Litovsk e do acordo com a Entente. O que foi o tratado de Brest-Litovsk? Por acaso não foi a violência de bandidos que se levantaram contra nós quando propúnhamos a paz, convidando todos os povos a derrubar *sua própria* burguesia? Teria sido ridículo se tivéssemos começado pela derrubada da burguesia alemã! O dito acordo nós expusemos a todo o mundo como o mais de rapina e ladrão, denunciamos e até nos recusamos de vez a assinar essa paz, contando com a colaboração dos trabalhadores alemães. Já quando os agressores colocaram o revólver em nossa cabeça, dissemos: tomem a arma, o dinheiro, depois nós nos acertamos com vocês por outros meios. Sabemos que o imperialismo alemão tem outro inimigo que os embotados não veem: os operários alemães. É possível comparar esse acordo com o imperialismo àquele que democratas, socialistas, socialistas-revolucionários – não riam, quanto mais potente, mais sonoro – fazem com a Entente para agir contra os trabalhadores do seu próprio país? Pois foi assim que se comportaram no caso e assim se comportam até o momento. Pois os mais influentes mencheviques e SRs, os mais conhecidos pelos europeus, estão no estrangeiro agora mesmo e agora mesmo fazem acordos com a Entente. Se escrito ou não, não sei – provavelmente não é escrito, pessoas espertas como essas fazem as coisas em silêncio. No entanto, é claro que há um acordo, uma vez que os pegam no colo, dão passaportes, difundem a todo o mundo por radiotelégrafo seus comunicados: hoje discursará Akselrod, amanhã Sávinkov ou Avksiéntiev, depois de amanhã Brechkóvskaia. Por acaso não é um acordo, ainda que tácito? E esse acordo com os imperialistas é como o nosso? No aspecto exterior, se parece com o nosso, tem aparência de um ato de alguém que dá a escopeta e o dinheiro aos bandidos, como em qualquer ato de semelhante tipo, independentemente de seu objetivo e caráter – em todo caso, independentemente de por que deu aos bandidos o dinheiro e a arma. Porventura, é para me livrar deles quando me atacam e quando sou colocado na posição de entregar-lhes o revólver senão me matam? Ou dou o dinheiro e a arma aos bandidos que farão um assalto, do qual sei e em cujo rendimento vou tomar parte?

> "Eu, claro, chamo pela emancipação da Rússia da ditadura dos agressores, eu, evidentemente, sou um democrata, porque apoio a famosa democracia siberiana ou de Arkhánguelsk, batalho, evidentemente, pela Assembleia Constituinte. Não ousem suspeitar de alguma vilania minha, e, se presto serviço a esses bandidos imperialistas ingleses, franceses, americanos, faço isso em nome dos interesses da democracia, da Assembleia Constituinte, do poder popular, da unidade das classes trabalhadoras e da população e para derrotar os agressores, os usurpadores, os bolcheviques!".

O objetivo, claro, é o mais nobre. Mas não ouviram todos que se ocupam da política que a política se avalia não pela declaração, mas pelo conteúdo de classe real? Para qual classe você trabalha? Se você faz um acordo com os imperialistas, está tomando parte no banditismo imperialista ou não?

Em minha "Carta aos operários americanos"[11], indiquei, entre outras coisas, que o povo revolucionário americano, quando se emancipou no século XVIII da Inglaterra, quando travava uma das primeiras e maiores guerras da história da humanidade verdadeiramente revolucionárias, fez um acordo com os bandidos do imperialismo espanhol e francês, que então tinham colônias na própria América, de cujo povo os revolucionários eram vizinhos. Em aliança com esses bandidos, combateram os ingleses e deles se emanciparam. Haveria pessoa instruída no mundo, vocês já viram – entre socialistas, socialistas-revolucionários, representantes da democracia, ou como quer que se chamem, até os mencheviques –, vocês já viram alguma vez algum deles se decidir a publicamente acusar disso o povo americano, dizer que eles violaram um princípio da democracia, da liberdade etc.? Um excêntrico assim está para

[11] Ver Vladímir Ilitch Lênin, *Obras escolhidas em três tomos*, v. 2 (Lisboa/Moscou, Avante!, 1977), p. 669-79. (N. E.)

nascer. E aparecem-nos semelhantes pessoas que se autodenominam por tais nomenclaturas e até reclamam que devem estar conosco na mesma Internacional e que é exclusivamente uma travessura bolchevique – é notório que nós, bolcheviques, somos travessos – se eles construírem sua própria Internacional Comunista, não querendo entrar na boa, velha e única Internacional de Berna!

E são essas as pessoas que dizem: "Não temos nada do que nos arrepender, vocês fizeram um acordo com Guilherme, nós fizemos um acordo com a Entente, estamos quites!".

Afirmo que essas pessoas, se têm instrução política elementar, então são koltchakistas, por mais que pessoalmente lhes enoje a *koltchakovschina*, por mais que tenham sofrido nas mãos de Koltchak e ainda que passem para o nosso lado. São koltchakistas, pois é impossível imaginar que não entendam a diferença entre um acordo forçado na luta contra os exploradores, ao qual não raras vezes na história da revolução se é forçado para acabar com a classe exploradora, entre o que fizeram e fazem os mais influentes representantes de nossos supostos democratas, representantes da suposta *intelligentsia* "socialista", da qual uma parte entrou ontem e outra entrou hoje em acordo com bandidos e saqueadores do imperialismo internacional contra *parte* – eles falam assim – das classes trabalhadoras de seu país. Essas pessoas são koltchakistas, e não é possível ter com elas uma relação diferente daquela que devem ter os revolucionários conscientes com os koltchakistas.

III

Agora passo à questão seguinte. Essa questão está relacionada à democracia em geral.

Já tivemos a oportunidade de apontar que a justificativa mais corrente, a defesa mais corrente dessas posições políticas que assumem os democratas e socialistas contra nós tem a ver com a democracia. O mais decidido representante desse ponto de vista na literatura europeia é, como vocês, claro, sabem, Kautsky, o líder ideológico da Segunda Internacional e até o momento membro da Internacional de Berna. "Os bolcheviques escolheram um método que viola a democracia, os bolcheviques escolheram o método da ditadura, por isso sua causa é injusta" – assim ele fala. Esse argumento figura milhares e milhões de vezes em toda parte e constantemente nas publicações e nos jornais citados. É constantemente repetido por toda a *intelligentsia* e às vezes de maneira subconsciente na argumentação dos filisteus. "A democracia é a liberdade, é a igualdade, é a decisão da maioria; o que pode estar acima da liberdade, da igualdade, da maioria? Se vocês, bolcheviques, renunciaram a isso e até têm a audácia de falar abertamente que estão acima da liberdade, da igualdade e da decisão da maioria, não se surpreendam e não se queixem se nós os chamamos de usurpadores, agressores!".

Isso não nos surpreende, porque queremos, acima de tudo, a clareza e esperamos apenas que a parte avançada dos trabalhadores tenha de fato consciência de seu conteúdo. Sim, já falamos e estamos falando o tempo todo do nosso programa, do programa do partido, que não nos enganemos com tais lemas maravilhosamente sonoros, como liberdade, igualdade e vontade da maioria, os que se dizem democratas, partidários da democracia pura, partidários da democracia consequente, que é direta ou indiretamente oposta à ditadura do proletariado, tratamos como asseclas de Koltchak.

Vamos esclarecer, é preciso não restar dúvidas. Seriam os democratas puros de fato culpados por pedir uma democracia pura, defendendo-a contra os usurpadores, ou seriam eles culpados por se encontrarem do lado das classes possuidoras, do lado de Koltchak?

Comecemos esclarecendo a liberdade. Liberdade, diga-se, é um lema muito, muito vital para qualquer revolução, socialista ou democrática. E nosso programa defende: a liberdade, quando é oposta à emancipação do trabalho do jugo do capital, é um engano. E qualquer um de vocês que tenha lido Marx – penso até mesmo em qualquer um que tenha lido ao menos uma exposição popular de Marx – sabe que Marx dedicou a maior parte da sua vida e de seus trabalhos literários e a maior parte das suas pesquisas científicas precisamente a satirizar a liberdade, a igualdade, a vontade da maioria, bem como os Bentham quaisquer que florearam essas coisas, e a provar que no fundo dessas frases residem os interesses da liberdade dos donos de mercadorias, a liberdade do capital que eles empregam para oprimir a massa trabalhadora.

Nós dizemos a todos aqueles que, neste momento, quando se trata da derrubada do capital em todo o mundo, ou ainda que seja em um único país, que neste momento histórico, quando assume o primeiro plano a luta dos trabalhadores oprimidos pela completa derrubada do capital, pela completa supressão da produção mercantil, a todos aqueles que neste momento político recorrem à palavra "liberdade" em geral, que em nome dessa palavra se colocam contra a ditadura do proletariado, que estão ajudando os exploradores e nada mais, estão do lado deles, pois a liberdade, se não obedece ao interesse da emancipação do trabalho do jugo do capital, é um engano, como declaramos abertamente no programa do nosso partido. Talvez isso seja supérfluo do ponto de vista da estrutura externa dos programas, mas é o mais essencial do ponto de vista de toda a nossa propaganda e agitação, do ponto de vista das bases da luta proletária e do poder proletário. Nós sabemos muito bem que devemos lutar contra o capital internacional, sabemos muito bem que o capital internacional a seu tempo teve diante de si a tarefa da criação da liberdade, que aboliu a escravidão feudal, que criou a liberdade burguesa, nós conhecemos muito bem esse progresso histórico internacional. E nós declaramos estar contra o capitalismo, contra o capitalismo republicano, contra o capitalismo democrata, contra o capitalismo livre e, claro, sabemos que contra nós o capitalismo vai levantar a bandeira da liberdade. E nós lhe respondemos. Consideramos imprescindível dar essa resposta em nosso programa: qualquer liberdade é um engano se ela é oposta ao interesse da emancipação do jugo do capital.

Mas poderia, talvez, não ser assim? Talvez não haja contradição entre a liberdade e a emancipação do trabalho do jugo do capital? Observem todos os países da Europa ocidental nos quais já estiveram ou, em todo caso, sobre os quais já leram. Em todos os livros, seu sistema é descrito como o sistema mais livre, e agora esses países civilizados da Europa ocidental – França, Inglaterra, bem como os Estados Unidos – levantam essa bandeira e se colocam contra os bolcheviques "em nome da liberdade". Noutro dia – os jornais franceses agora raramente chegam aqui, pois estamos cercados, mas as notícias chegam pelo rádio, já que do ar, de todo modo, não podem apropriar-se, e nós interceptamos as ondas de rádio –, tive a possibilidade de receber uma mensagem difundida pelo rádio, enviada pelo governo de rapina francês: ao lutar contra os bolcheviques e apoiar seus adversários, a França se mantém como sempre a elevar seu "ideal superior de liberdade". A cada passo nos deparamos com isso, e esse é o tom fundamental da polêmica deles contra nós.

Porém, o que eles chamam de liberdade? Esses franceses, ingleses, americanos civilizados chamam de liberdade, entre outras coisas, a liberdade de reunião. Nas constituições, deve estar escrito: "Liberdade de reunião a todos os cidadãos". "Eis aí", dizem eles, "o conteúdo, eis aí a manifestação fundamental da liberdade. E vocês, bolcheviques, violaram a liberdade de reunião".

Sim, respondemos, sua liberdade, senhores ingleses, franceses, americanos, é um engano, se oposta à emancipação do jugo do capital. Vocês se esqueceram de um detalhe, senhores civilizados. Esqueceram-se de que sua liberdade está escrita na constituição que *legitima a propriedade privada*. Reside aí a essência da coisa.

Ao lado da liberdade, a propriedade, é assim que está escrito em sua constituição. Claro, aquilo que vocês reconhecem como liberdade de reunião é um enorme progresso se comparado à ordem feudal, à Idade Média, à servidão. Isso todos os socialistas reconhecem ao se valer da liberdade da sociedade burguesa para ensinar ao proletariado como derrubar a jugo do capitalismo.

Sua liberdade é tal, contudo, que é liberdade só no papel, e não na prática. Isso significa que, se nas grandes cidades existem grandes salas como essas, elas pertencem aos capitalistas e aos latifundiários, e eles as chamam, por exemplo, de salas de "reunião dos nobres". Vocês podem se reunir livremente, cidadãos da República Democrática da Rússia, mas é propriedade privada, desculpem, por favor, é preciso respeitar a propriedade privada, senão vocês serão considerados bolcheviques, criminosos, assassinos, endiabrados. Nós dizemos: "Vamos mudar tudo isso. Os prédios de 'reunião dos nobres', vamos, primeiro, transformar em organizações operárias e, depois, falemos em liberdade de reunião". Vocês nos acusam de violação da liberdade. Nós reconhecemos que qualquer liberdade, se não apoia os interesses de emancipação do trabalho do jugo do capital, é um engano. A liberdade de reunião que está escrita na constituição de todas as repúblicas burguesas é um engano, porque, para se reunir em um país civilizado, que de todo modo o inverno não aboliu nem mudou o clima, é preciso que haja recintos para a reunião, e os melhores prédios são propriedades privadas. Primeiro tomemos os melhores prédios, e depois falemos em liberdade.

Nós dizemos que liberdade de reunião para os capitalistas é um crime grandioso contra os trabalhadores; significa liberdade de reunião para os contrarrevolucionários. Nós dizemos aos senhores intelectuais, aos senhores partidários da democracia: vocês mentem quando lançam na nossa cara a acusação de violação da liberdade! Quando seus grandes revolucionários burgueses na Inglaterra, em 1649, na França, em 1792-1793, fizeram a revolução, não concederam liberdade de reunião aos monarquistas. Por isso a Revolução Francesa foi chamada de grande, pois não se distinguia pela flacidez, pela indecisão, pela fraseologia de muitos revolucionários de 1848, mas foi uma revolução de fato, que, depois de derrubar os monarquistas, esmagou-os até o fim. E também nós o saberemos fazer com os senhores capitalistas, pois sabemos que, para a emancipação do trabalho do jugo do capital, é preciso privar os capitalistas da liberdade de reunião, é preciso tirar ou limitar sua "liberdade". É o que servirá à emancipação do trabalho do jugo do capital, é o que servirá à liberdade autêntica, em que não haverá prédios em que vive apenas uma família e que pertençam a um particular – um latifundiário, um capitalista ou alguma sociedade anônima. Quando isso acontecer, quando as pessoas tiverem se esquecido de que é possível a existência de um prédio público em posse de um particular, então seremos a favor da completa liberdade. Quando restarem no mundo apenas os trabalhadores, e as pessoas tiverem esquecido que é possível haver um membro da sociedade que não trabalhe – e isso não acontece desde já por culpa dos senhores burgueses e dos senhores intelectuais burgueses –, então seremos a favor da liberdade de reunião para cada um; agora, porém, a liberdade de reunião é a liberdade de reunião para os capitalistas, os contrarrevolucionários. Estamos lutando contra eles, nós fazemos oposição a eles e declaramos que essa liberdade nós abolimos.

Estamos em batalha – é esse o conteúdo da ditadura do proletariado. Foi-se o tempo do socialismo ingênuo, utópico, fantástico, mecânico, da *intelligentsia*, quando se apresentava a questão de tal modo que bastava convencer a maioria, pintar um belo quadro da sociedade socialista, e a maioria adotaria o ponto de vista do socialismo. Passou o tempo em que, com esses contos de fadas, era possível se divertir e divertir os demais. O marxismo que reconhece a luta de classes diz: ao socialismo não se chega de outro modo que não pela ditadura do proletariado. "Ditadura" é uma palavra forte, dura, sanguinária, dolorida, e palavras desse tipo não se jogam ao vento. Se são essas as palavras de ordem que lançam os socialistas, é porque eles sabem que senão por meio de uma luta encarniçada e implacável a classe dos exploradores não se renderá e tratará de encobrir com todas as palavras bonitas sua dominação.

Liberdade de reunião – o que pode ser mais elevado, o que pode ser melhor que essa expressão? Pode-se conceber o desenvolvimento dos trabalhadores e de sua consciência sem liberdade de reunião? Podem-se conceber as bases do humanismo sem liberdade de reunião? E nós dizemos que a liberdade de reunião das constituições da Inglaterra e dos Estados Unidos é uma mentira, porque amarra as mãos das massas de trabalhadores durante todo o período de transição ao socialismo; ela é uma mentira, porque sabem muito bem que a burguesia vai fazer de tudo para derrubar esse poder tão incomum, tão "monstruoso" a princípio. Não pode ser de outro modo aos olhos daquele que refletiu sobre a luta de classes, que de alguma forma concreta pensa a relação entre os operários sublevados e a burguesia, que foi derrotada em um único país e não foi derrotada em todos eles, e que justamente porque não foi derrotada por completo se lança na luta com ainda maior ferocidade.

É justamente depois da derrubada da burguesia que a luta de classes assume a forma mais nítida. E de nada servem esses democratas e socialistas que se enganam e depois enganam também os outros, dizendo: uma vez derrubada a burguesia, o caso está encerrado. Ele não está encerrado, mas apenas começou, porque a burguesia, até agora, não acreditava na ideia de que fora derrubada e, às vésperas da Revolução de Outubro, ainda zombava muito carinhosa e amável; Miliúkov, Tchernov e os membros do Новая Жизнь/*Nóvaia Jizn* [Nova vida][12] zombavam: "Bem, por favor, senhores bolcheviques,

[12] Jornal social-democrata publicado em São Petersburgo em 1917, e em Moscou até julho de 1918. (N. E.)

componham o gabinete, tomem o poder por um par de semanas e vocês prestarão uma ajuda maravilhosa!". Pois foi isso que escreveu Tchernov dos SRs, foi o que escreveu Miliúkov no Речь/*Riétch* [A palavra][13], isso escreveu o semimenchevique *Nóvaia Jizn*. Eles zombaram porque não levaram a coisa a sério. Então, agora que viram que a coisa ficou séria, e os senhores burgueses ingleses, franceses e suíços, que pensavam que sua "república democrática" era uma couraça que os protegia, viram e tomaram consciência de que a coisa ficou séria, agora recorrem todos eles às armas. Se vocês pudessem ver o que fazem na livre Suíça, como ali se arma cada burguês, sem exceção, forma-se um exército branco, porque sabem que a questão é se vão continuar em posse dos privilégios que lhes garantem manter milhões na escravidão assalariada. Agora a luta tomou proporções mundiais e por isso agora qualquer um que se coloca contra nós com as palavras "democracia" e "liberdade" passa para o lado da classe possuidora, engana o povo, pois não entende que liberdade e democracia até agora foram a liberdade e a democracia *para os possuidores* e apenas migalhas na mesa dos pobres.

O que é a liberdade de reunião quando os trabalhadores são esmagados pela escravidão do capital e a serviço do capital? É esse o engano, e para conquistar a liberdade para os trabalhadores, é preciso primeiro vencer a resistência dos exploradores; no entanto, se enfrento a resistência de uma classe inteira, é evidente que não posso prometer nem liberdade, nem igualdade, nem decisão de maioria a essa classe.

IV

Agora, da liberdade passo à igualdade. Aqui, a questão é ainda mais profunda. Aqui nos referimos a algo ainda mais sério e ainda mais doloroso, que causa grandes divergências.

A revolução, em seu curso, varre uma classe de exploradores depois da outra. Ela primeiro derrubou a monarquia e entendeu que a igualdade seria

[13] Jornal diário do Partido Constitucional Democrata (KD), publicado em São Petersburgo de 1906 a 1918. (N. E.)

ter um governo eleito, ser uma república. Seguindo adiante, derrubou os latifundiários, e vocês sabem que toda luta contra a ordem medieval, contra o feudalismo, deu-se sobre o lema da "igualdade". Todos são iguais independentemente da condição, todos são iguais, incluindo o milionário e o miserável – assim falavam, assim pensavam, assim sinceramente consideravam os grandes revolucionários daquele período que entrou para a história como o período da grande Revolução Francesa. A revolução se bateu contra o latifundiário sob o lema da igualdade e chamou-se igualdade o fato de o milionário e o operário terem direitos iguais. A revolução foi mais longe. Ela diz que a "igualdade" – sobre isso não falamos de modo particular em nosso programa, mas não se pode repetir infinitamente, pois é algo claro, assim como quando falamos em liberdade – é um engano se oposta à emancipação do trabalho do jugo do capital. É isso que nós dizemos, e é a absoluta verdade. Dizemos que a república democrática com a igualdade atual é uma mentira, um engano, que ali não se observa a igualdade e ali ela não pode existir, que o que impede de se utilizar dessa igualdade é a propriedade privada dos meios de produção, o dinheiro, o capital. Pode-se tirar de uma vez a propriedade das mansões, podem-se tirar relativamente cedo o capital e os meios de produção, mas tirem a propriedade do dinheiro.

O dinheiro é o coágulo da riqueza social, é o coágulo do trabalho social, o dinheiro é o certificado do tributo de todos os trabalhadores, o dinheiro é o saldo da exploração de ontem. Eis o que é o dinheiro. Seria possível extingui-lo de uma vez? Não. Ainda antes da revolução socialista, os socialistas escreveram que era impossível suprimir o dinheiro de uma vez, e nós podemos confirmar isso por experiência própria. Para extinguir o dinheiro, é preciso haver muito avanço técnico e, o que é mais difícil e muito mais importante, conquistas organizativas; por enquanto, estamos forçados a nos contentar com a igualdade nas palavras, na constituição, e nessa situação, aquele que tem dinheiro tem o direito de fato à exploração. E nós não podemos suprimir o dinheiro de uma vez. Dizemos: enquanto permanecer o dinheiro, e ele vai permanecer por muito tempo no curso do período de transição da antiga sociedade capitalista para a nova, a socialista. A igualdade é um engano se é oposta aos interesses da emancipação do trabalho do jugo do capital.

Engels estava mil vezes certo quando escreveu: o conceito de igualdade é o preconceito mais estúpido e mais absurdo *sem* a extinção das classes[14]. Os catedráticos burgueses, a partir do conceito de igualdade, tentaram nos desmascarar pelo fato de quererem tornar uma pessoa igual a outra. Desse disparate que eles mesmos inventaram, tentaram acusar os socialistas. Mas eles não sabem, devido à própria ignorância, que os socialistas – e justamente os criadores da ciência contemporânea do socialismo, Marx e Engels – disseram: a igualdade é uma frase vazia se por igualdade não se compreende a extinção das classes. As classes são o que queremos extinguir; nesse sentido, nós somos a favor da igualdade. No entanto, pretender que nós tornaremos as pessoas iguais umas às outras é uma frase vazia e uma invenção da *intelligentsia* que, às vezes, de boa-fé, contorce, joga com as palavras, mas sem conteúdo – chame-se ele escritor, erudito, ou seja lá o que for.

Eis o que dizemos: nosso objetivo é a igualdade como extinção das classes. Então, é preciso extinguir a diferença de classe também entre os operários e os camponeses. É precisamente isso que constitui nosso objetivo. A sociedade que conserva a diferença de classes entre operários e camponeses não é comunista nem socialista. Claro que se toma a acepção da palavra "socialismo" em certo sentido, pode-se chamá-la de socialista, mas isso será casuística, disputa de termos. O socialismo é o primeiro estágio do comunismo, mas de nada adianta disputar palavras. Claro está que, enquanto permanecer a diferença de classes entre o operário e o camponês, não poderemos falar em liberdade sem correr o risco de jogar água no moinho da burguesia. O camponês é uma classe da época patriarcal, uma classe formada por décadas e séculos de escravidão, e no curso de todas essas décadas o camponês existiu como *pequeno proprietário*, primeiro submetido a uma outra classe, depois formalmente livre e igual, mas como *proprietário e possuidor de produtos alimentícios.*

E eis que chegamos à questão que mais suscita queixas por parte de nossos inimigos, que mais jogará luz às dúvidas das pessoas inexperientes e

[14] Ver Friedrich Engels, *Anti-Dühring: a revolução da ciência segundo o senhor Eugen Dühring* (trad. Nélio Schneider, São Paulo, Boitempo, 2015), p. 137-8. (N. E.)

irrefletidas e que mais nos separa de quem se considera democrata, socialista e que nos ofende, porque nós não consideramos essas pessoas nem democratas nem socialistas, mas as chamamos de partidárias dos capitalistas, talvez por obtusidade, mas partidárias dos capitalistas.

A condição do camponês é assim devido a seu modo de vida, suas condições de produção, condições de vida, condições de propriedade, que fazem do camponês metade trabalhador, metade especulador.

Isso é um fato. E desse fato você não se livra enquanto não extingue o dinheiro, não extingue a troca. E, para fazer isso, são necessários anos de constante domínio do proletariado, porque apenas o proletariado é capaz de vencer a burguesia. Quando nos dizem: "Vocês violaram a igualdade, vocês violaram a igualdade não apenas dos exploradores – com isso estou pronto a concordar, conclama algum socialista-revolucionário ou menchevique, sem compreender o que diz –, mas vocês violaram a igualdade dos operários e dos camponeses, violaram a igualdade da 'democracia trabalhista', vocês são uns criminosos!". Nós respondemos: "Sim, violamos a igualdade dos operários e camponeses e sustentamos que vocês, que defendem que isso é igualdade, são partidários de Koltchak". Eu li no Правда/*Pravda* [Verdade][15] há algum tempo um artigo do camarada Guermánov em que estavam as teses do cidadão Cher, um dos mais "socialistas" dos mencheviques sociais-democratas. Essas teses foram propostas em uma de nossas organizações cooperativas. Essas teses precisariam ser gravadas em uma placa e penduradas em toda unidade administrativa de comitê executivo com a inscrição: "Este é um koltchakista".

Eu sei muito bem que esse cidadão Cher e seus asseclas me chamam de caluniador e coisa pior. Não obstante, convido as pessoas que estudaram o alfabeto da economia política e a gramática da política a prestar atenção em quem está certo e em quem mente. O cidadão Cher diz: a política de alimentação e, em geral, a política econômica do poder soviético não prestam e é

[15] Primeiro jornal operário legalizado da Rússia, circulou em São Petersburgo de 1912 até a dissolução da União Soviética, quando foi vendido a investidores gregos pelo governo Iéltsin. Em 1997, o Partido Comunista Russo retomou o *Pravda* como publicação oficial. (N. E.)

preciso passar, primeiro gradativamente, mas depois amplamente, ao livre mercado de produtos alimentícios e à salvaguarda da propriedade privada.

Eu digo que isso é o programa econômico, a base econômica de Koltchak. Afirmo que quem leu Marx, sobretudo o primeiro capítulo de *O capital*, quem leu, ao menos, a popular obra de Kautsky *Doutrina econômica de Karl Marx*[16], deve concluir que, de fato, no momento em que se encaminha a revolução proletária contra a burguesia, em que se derrubam os latifundiários e a propriedade capitalista, em que há um país faminto assolado por uma guerra imperialista de quatro anos, o livre mercado de cereais é o livre mercado do capitalista, a liberdade de restauração do poder capitalista. É esse o programa econômico de Koltchak, pois não é no ar que ele se apoia.

É bastante estúpido denunciar Koltchak apenas porque usou de violência contra os trabalhadores e até açoitou uma professora por ser simpática aos bolcheviques. Trata-se de uma defesa vulgar da democracia, trata-se de acusações estúpidas contra Koltchak. Koltchak age segundo os métodos de que dispõe. Mas em que se apoia economicamente? Apoia-se no livre comércio, é por ele que luta, é *por isso* que todos os capitalistas o apoiam. E você diz: "Eu abandonei Koltchak, eu não sou koltchakista". Isso certamente é feito com honestidade, mas não demonstra, ainda, que você tem grudada ao pescoço uma cabeça capaz de raciocinar. Assim respondemos a essas pessoas, sem retirar a honestidade dos SRs e dos mencheviques que abandonaram Koltchak, que viram que ele era um ditador. Mas se essa pessoa, num país que luta uma batalha desesperada contra Koltchak, continua a lutar por "igualdade da democracia do trabalho", pelo livre comércio de cereais, ela é koltchakista, ela simplesmente não entende a questão, não tem clareza para ligar os pontos.

Koltchak – chame-se Koltchak ou Dienikin, o uniforme é diferente, a essência é a mesma – apoia-se no fato de que, tendo tomado uma localidade rica em cereais, ele defende o livre comércio de cereais e *a liberdade de restaurar o capitalismo*. Foi assim em todas as revoluções, será assim conosco se passamos da ditadura do proletariado a essa "liberdade" e a essa "igualdade"

[16] Stuttgart, Dietz, 1903 [1887]. (N. E.)

dos senhores democratas, SRs, mencheviques de esquerda etc., até mesmo, às vezes, os anarquistas – são muitas as denominações. Agora na Ucrânia cada bando adota uma denominação, uma mais libertária que a outra, uma mais democrática que a outra, e todos os distritos estão sob os bandos.

A igualdade entre os trabalhadores e os camponeses nos é oferecida pelos "defensores dos interesses do campesinato trabalhador", em sua maior parte SRs. Outros, como o cidadão Cher, estudam o marxismo, e nenhum deles compreende que não pode haver igualdade entre os operários e os camponeses no período de transição do capitalismo ao socialismo, e aqueles que não o entendem devem aderir ao programa desenvolvido por Koltchak, ainda que não tenham entendido isso. Afirmo que qualquer pessoa que pense sobre as condições concretas do país, sobretudo um país arruinado, vai entender do que se trata.

Nossos "socialistas", que agora afirmam estarmos em um período de revolução burguesa, estão sempre nos acusando de termos um comunismo de consumo. Alguns acrescentam: um comunismo soldadesco, e se supõem superiores aos demais, supõem que se elevaram em relação a esse tipo "baixo" de comunismo. Não passam de gente que brinca com palavras. Leram livros, estudaram livros, os livros repetiram e dos livros não entenderam nada de nada. São pessoas eruditas e até ilustradas. Nos livros, leram que o socialismo é o desenvolvimento superior da produção. Kautsky até hoje não faz outra coisa a não ser repetir isso. Eu noutro dia li num jornal alemão que caiu acidentalmente em nossas mãos, li sobre o último Congresso dos Sovietes na Alemanha. Kautsky deu uma conferência e em sua conferência assinalou – não ele em pessoa, mas sua esposa, pois ele estava doente e foi ela quem leu o discurso – que o socialismo é o desenvolvimento superior da produção e que sem a produção nem o capitalismo nem o socialismo podem se sustentar, mas os trabalhadores alemães não o compreendem.

Pobres trabalhadores alemães! Lutam contra Scheidemann e Noske, lutam contra os algozes, tentam derrubar o poder dos algozes que continuam a se denominar social-democratas; Scheidemann e Noske pensam que a guerra civil continua. Liebknecht foi assassinado, Rosa Luxemburgo foi assassinada. Todos os burgueses russos dizem – estava impresso num jornal de Ekaterinodar[17]: "É preciso fazer o mesmo com os nossos bolcheviques!". Está impresso assim. Quem entende do que se trata sabe muito bem que toda a burguesia internacional adota esse ponto de vista. É preciso se defender. Scheidemann e Noske dirigem uma guerra civil contra o proletariado. Guerra é guerra. Os trabalhadores alemães pensam que está em curso uma guerra civil e que todas as questões restantes são de menor importância. É preciso, antes de mais nada, alimentar o operário. Kautsky considera que se trata de comunismo soldadesco ou de consumo. Que é preciso desenvolver a produção!

Ó, sábios senhores! Mas como é possível desenvolver a produção em um país assaltado e arrasado pelo imperialismo, sem carvão, sem matéria-prima, sem máquinas? "Desenvolvimento da produção!". Contudo, não é raro em nossas reuniões do Soviete dos Comissários do Povo ou do Soviete da Defesa que não repartamos os últimos milhões de quilos de carvão ou litros de petróleo e, experimentando uma sensação dolorosa, quando todos pegam seus últimos restos, e não é suficiente para todos, e precisamos decidir fechar fábricas aqui ou ali, deixar os operários sem trabalho aqui ou ali – é um problema angustiante, mas é necessário fazê-lo, porque não há carvão. O carvão se encontra na bacia de Donets, o carvão está sendo arruinado pelos invasores alemães. Considerem a Bélgica e a Polônia – esse é o fenômeno típico do que está acontecendo em toda parte como consequência da guerra imperialista. Isso quer dizer que o desemprego e a fome chegaram para ficar por muitos anos, pois essas minas, quando inundam, demoram vários anos para ser restauradas. E é o que nos dizem: "O socialismo é o aumento da produção". Vocês leram livros, bons senhores, escreveram livros e dos livros vocês não entenderam nada. [Aplausos.]

Claro, do ponto de vista de uma sociedade capitalista como essa, que em tempos de paz passaria pacificamente ao socialismo, não teríamos outra tarefa mais urgente que o aumento da produção. Só deve ser dita uma palavrinha: "se". *Se* o socialismo tivesse nascido assim tão pacificamente como os senhores capitalistas não o deixaram nascer. Só tem um pequeno problema.

[17] Atual Karnadar. (N. T.)

Mesmo que não houvesse guerra, ainda assim os senhores capitalistas fariam de tudo para impedir tal desenvolvimento pacífico. As grandes revoluções, ainda que tenham começado pacíficas, como a grande Revolução Francesa, terminaram em guerras furiosas, abertas pela burguesia contrarrevolucionária. Não pode ser de outro modo, se você olhar essa questão do ponto de vista da luta de classes, e não apenas da fraseologia burguesa sobre a liberdade, a igualdade e a vontade da maioria, dessa fraseologia estúpida da burguesia com a qual se dirigem a nós os mencheviques, os SRs, toda essa "democracia". Não pode haver desenvolvimento pacífico para o socialismo. E, no período atual, depois de uma guerra imperialista, é ridículo falar que o desenvolvimento foi pacífico, sobretudo num país arrasado. Tomem como exemplo a França. A França foi vitoriosa, e reduziu à metade a produção de cereal. A Inglaterra, nos jornais da burguesia inglesa, dizia: "Estamos agora na miséria". E repreendem os comunistas por estancamento da produção num país arrasado! Quem diz isso ou é um completo idiota, ainda que o nomeiem três vezes dirigente da Internacional de Berna, ou é um traidor dos operários.

Num país arrasado, a primeira tarefa é salvar os trabalhadores. A força de produção primeira de toda a humanidade são os operários, os trabalhadores. Se eles viverem, salvaremos e reconstruiremos tudo.

Enfrentaremos muitos anos de miséria, da volta à barbárie. Quem nos atirou para trás, para a barbárie, foi a guerra imperialista, e nós salvamos os trabalhadores, salvamos a força de produção da humanidade – o operário –, nós recuperaremos tudo, mas pereceremos se não soubermos salvá-lo, e, por isso, quem nesse momento grita sobre o comunismo de consumo e soldadesco, olhando os outros de cima, supondo ser superior a esses comunistas-bolcheviques, repito, não entende absolutamente nada de economia política e arranca citações dos livros, tal qual eruditos tiram citações da cabeça como se fosse um fichário e as colocam de lado quando se deparam com um nova combinação não descrita nos livros; daí atrapalham-se e arrancam do fichário uma outra citação que não cabe.

Neste momento em que o país está arrasado, nossa tarefa principal, básica, é defender a vida do operário, *salvar o operário*; e os operários sucumbem porque as fábricas estão paradas, mas as fábricas estão paradas porque não há combustível e porque nossa produção é toda artesanal, a indústria está apartada dos locais de recebimento de matéria-prima. No mundo todo é assim. A matéria precisa ser transportada para as fábricas algodoeiras russas vindas do Egito, dos Estados Unidos, o mais próximo é o Turquestão, mas como transportar quando ali estão os bandos revolucionários e as tropas inglesas capturaram Asgabate[18], como transportar do Egito e dos Estados Unidos quando as estradas de ferro não funcionam, quando estão destruídas, quando está tudo parado porque não há carvão?

É preciso salvar o operário, ainda que ele não possa trabalhar. Se o salvarmos nesses poucos anos, salvamos o país, a sociedade e o socialismo. Se não salvarmos, então despencaremos para trás, para a escravidão assalariada. Assim se coloca a questão do socialismo, que não nasce da fantasia de um tonto pacífico que se autodenomina social-democrata, mas da realidade prática, da luta de classes frenética e desesperadoramente brutal. É um fato. É necessário fazer sacrifícios para garantir a existência do operário. E, desse ponto de vista, quando acontece de nos dizerem: "Somos a favor da democracia do trabalho, e vocês, comunistas, não oferecem igualdade nem ao operário nem ao camponês", nós respondemos: os operários e os camponeses são iguais como trabalhadores, mas o especulador de cereais alimentado não é igual a um operário faminto. É apenas por isso que em nossa constituição está escrito que operários e camponeses não são iguais.

Vocês dizem que eles devem ser iguais? Vamos ponderar, calcular. Tomemos sessenta camponeses e dez operários. Os sessenta camponeses têm excedente de cereais. Eles andam esfarrapados, mas têm cereais. Tomemos os dez operários. Depois da guerra imperialista, eles estão esfarrapados, esgotados, não têm cereal, não têm combustível, não têm matéria-prima. As fábricas pararam. Em que eles são iguais, na opinião de vocês? Sessenta camponeses têm o direito de decidir, mas dez operários devem se submeter? Grandioso princípio de igualdade, unidade da democracia do trabalho e decisão da maioria!

[18] Atual Türkmenbaşy. (N. T.)

É isso o que nos dizem. Nós respondemos: "Vocês zombam feito bobos da corte, porque se exprimem por belas palavras e ofuscam a questão da fome".

Nós lhe perguntamos: os operários de um país arrasado, em que as fábricas estão paradas, teriam o direito de acatar a decisão da maioria de camponeses se esta fosse não lhes dar o cereal excedente? Teriam eles o direito de tomar esse excedente de cereal ainda que à força, se de outro modo fosse impossível? Respondam diretamente! Então começam a torcer e distorcer, quando apresentamos a questão em sua essência verdadeira.

Em todo o país, a indústria está devastada e ficará devastada por alguns anos, porque incendiar as fábricas ou inundar as minas é fácil, explodir um trem, arruinar locomotivas a vapor é fácil, isso qualquer parvo, ainda que se chame oficial alemão ou francês, é bem capaz de fazer, sobretudo se tem uma boa máquina para explosões, para dar tiros etc., mas reconstruir é algo muito difícil, que leva anos.

Os camponeses são uma classe particular: como trabalhadores, são inimigos da exploração capitalista, mas, ao mesmo tempo, são proprietários. O camponês durante cem anos foi educado para entender que o cereal é dele e que cedê-lo depende de sua vontade. É meu direito, pensa o camponês, pois se trata de meu trabalho, meu suor e meu sangue. Transformar sua psicologia rapidamente é impossível, esse é o mais longo e difícil processo da luta. Quem supõe que a transição para o socialismo seja um convencer o outro, e o outro a um terceiro, é uma criança, no melhor dos casos, ou um hipócrita político – e essas pessoas que surgem nas tribunas políticas, claro, relacionam-se à última categoria.

A questão consiste, dessa maneira, no fato de que o camponês está acostumado ao livre comércio do cereal. Quando derrubamos as instituições capitalistas, revelou-se que havia, ainda, uma força agarrada ao capitalismo: a força dos costumes. Quando mais resolutamente derrubávamos todas as instituições que sustentavam o capitalismo, mais claramente surgia uma outra força que sustentava o capitalismo: a força dos costumes. Sob determinadas condições, é possível derrubar uma instituição de uma vez; os costumes, porém, nunca, em nenhuma condição, é possível derrubá-los de uma vez. Quando entregamos toda a terra ao campesinato, nós o libertamos do domínio do latifundiário; quando derrubamos tudo o que a este estava ligado, o campesinato continuou considerando "liberdade" a liberdade de comercializar o cereal e um cativeiro a obrigação de ceder o excedente de cereal a preço fixo. O que é isso, como é esse "ceder", indignava-se o camponês, sobretudo se, além disso, o aparato ainda é ruim; e ainda é ruim porque toda a *intelligentsia* burguesa tem parte na Sukharieva[19]. É claro que esse aparato tem que se apoiar em pessoas que devem aprender e, no melhor dos casos, se têm boa vontade e são leais à causa, aprendem em alguns anos, mas até então o aparato será ruim, e às vezes aparece todo tipo de vigarista que se autodenomina comunista. Esse é o perigo que ameaça qualquer partido dirigente, qualquer proletariado vitorioso, pois é impossível quebrar de uma vez a oposição burguesa e constituir um aparato eficiente. Sabemos muito bem que o aparato do Komprod[20] ainda é ruim. Há pouco tempo foram produzidos estudos estatísticos sobre como se alimentam os operários nas províncias não agrícolas. Descobriu-se que metade da quantidade de produtos agrícolas eles obtêm do Komprod, e a outra metade, dos especuladores; pela primeira metade, pagam um décimo de todas as suas despesas de víveres, pela segunda metade, nove décimos.

Metade dos alimentos recolhidos e distribuídos pelo Komprod é coletada, claro, de maneira ruim, mas é coletada de maneira socialista, e não capitalista. É coletada em virtude da vitória sobre o especulador, e não em negociação com ele; é coletada em sacrifício de todos os demais interesses do mundo e, inclusive, dos interesses de "igualdade" formal, que os senhores mencheviques, SRs e cia. ostentam como interesses dos operários famintos. Fiquem com sua "igualdade", senhores, que nós ficamos com os operários famintos, que nós ficamos com os operários famintos que salvamos da fome. Não importa o quanto os mencheviques nos acusem de violação da "igualdade", o fato é que resolvemos metade das tarefas de produção em condições de dificuldade inaudíveis, incríveis. E dizemos que se

[19] Mercado ao redor da Torre Sukharieva; no período em questão, funcionava como um centro de especulação e acabou se tornando sinônimo de livre comércio privado. (N. T.)

[20] Acrônimo de Комиссариат продовольствия/*Komissariat prodovólstvia* [Comissariado do Abastecimento]. (N. T.)

sessenta camponeses têm excedente de cereal e dez operários estão passando fome, então é preciso dizer que não há "igualdade" em geral e não existe "igualdade de trabalho entre as pessoas", mas sobre o dever incondicional de os sessenta camponeses obedecerem a decisão de dez operários e lhes entregarem, ainda que seja na forma de empréstimo, o excedente de cereal.

Toda economia política, se alguém já aprendeu algo com ela, a história de toda revolução, toda história do desenvolvimento político no curso do século XIX nos ensinam que o camponês segue ou o operário ou o burguês. Ele não pode agir de outra maneira. Isso, é claro, pode parecer ofensivo a um democrata, que pensaria que eu, por maldade marxista, calunio o camponês. Os camponeses são maioria, eles são trabalhadores e não podem seguir seu próprio caminho! Por quê?

Se vocês não sabem por quê, eu diria a esses cidadãos que leiam os rudimentos de economia política de Marx, o resumo de Kautsky, pensem sobre o desenvolvimento de qualquer grande revolução dos séculos XVIII e XIX, sobre a história política de qualquer país do século XIX. Isso vai lhes responder o porquê. A economia da sociedade capitalista é tal que a força dominante pode ser apenas o capital ou o proletariado que o derrubou.

Não há outras forças na economia dessa sociedade.

O camponês é metade trabalhador, metade especulador. O camponês é trabalhador porque, depois de obter o cereal com o suor de seu trabalho, é explorado pelos latifundiários, pelos capitalistas, pelos comerciantes. O camponês é especulador porque vende o cereal, um artigo de primeira necessidade, um artigo que, se uma pessoa não o tem, ela dá tudo o que tem em troca dele. A fome não é sua madrinha; pelo cereal pagará até mil rublos e muito mais, ainda que seja tudo o que tem.

Os camponeses não têm culpa; eles vivem em tal economia mercantil, viveram dezenas e centenas de anos acostumados a trocar seu cereal por dinheiro. É impossível transformar os costumes e extinguir o dinheiro de uma vez. Para extingui-lo, é preciso estabelecer uma organização para a distribuição dos produtos entre centenas de milhares de pessoas – algo que leva longos anos. E eis por que, enquanto existir a economia mercantil, enquanto existirem operários famintos ao lado de camponeses alimentados que escondem o excedente de cereal, até então, permanecerá a contradição entre os interesses dos operários e dos camponeses, e quem dessa contradição real criada pela vida tira palavras sobre "liberdade", "igualdade" e "democracia do trabalho" será, no melhor dos casos, autor de frases vazias e, no pior, defensor hipócrita do capitalismo. Se o capitalismo vencer a revolução, vencerá apoiando-se na obtusidade dos camponeses, pois os suborna, os seduz com a volta do livre mercado. Os mencheviques e os SRs estão, de fato, do lado do capitalismo e contra o socialismo.

O programa econômico de Koltchak, Dienikin e de todo o Exército Branco russo é a liberdade de mercado. Eles, sim, entendem, e não é culpa deles se o cidadão Cher não entende isso. Os fatos econômicos da vida não mudam por dado partido não entendê-los. O lema burguês é o livre comércio. Tentam enganar os camponeses, dizendo: "Não seria melhor viver como nos velhos tempos? Por acaso, não seria melhor ter liberdade, vender livremente os frutos do trabalho agrícola? O que seria mais justo?". É assim que falam os koltchakistas, e eles estão corretos do ponto de vista do capital. Para restaurar o poder do capital na Rússia, é preciso apoiar-se na tradição, nos preconceitos do campesinato contra sua razão, nos velhos costumes do livre mercado, e é preciso esmagar a resistência dos operários. Às vezes, não há saída. Os koltchakistas estão certos do ponto de vista do capital, em seu programa político e econômico, têm clareza ao ligar os pontos, entendem onde está o começo e onde está o fim, entendem a ligação entre o livre comércio dos camponeses e a execução forçada dos operários. Há ligação, embora o cidadão Cher não a compreenda. O livre comércio de cereais é o programa econômico dos koltchakistas, executar dezenas de milhares de operários (como na Finlândia) é um meio necessário para a existência desse programa, porque os operários não vão renunciar a suas conquistas. A ligação é indissolúvel, e as pessoas que não entendem absolutamente de ciência econômica e política, as pessoas que esquecem os fundamentos do socialismo devido a intimidações pequeno-burguesas, precisamente os mencheviques e os "socialistas-revolucionários", essas pessoas tentam nos fazer esquecer essa ligação com frases sobre "igualdade", "liberdade", gritando que violamos os princípios da igualdade no interior da "democracia do trabalho", que nossa constituição é "injusta"

O voto de vários camponeses significa a mesma coisa que o voto de um operário. Isso é injusto?

Não, isso é justo para uma época em que é preciso destruir o capital. Eu sei de onde vocês colhem o seu conceito de justiça. Tomam-no da época capitalista passada. O detentor de mercadorias, sua igualdade, sua liberdade – é esse o seu conceito de justiça. São resíduos pequeno-burgueses de preconceitos pequeno-burgueses – residem aí sua justiça, sua igualdade, sua democracia do trabalho. Para nós, a justiça está subordinada à derrubada do capital. Derrubar o capital de outro modo que não seja unindo as forças do proletariado é impossível.

É possível unir de uma só vez dezenas de milhares de camponeses contra o capital, contra o livre mercado? Você não pode fazer isso devido à força das condições econômicas, ainda que o camponês fosse completamente livre e tivesse muito mais cultura. Isso é impossível, porque para isso são necessárias outras condições econômicas, para isso são necessários longos anos de preparação. E quem realizará essa preparação? Ou o proletariado ou a burguesia.

Os camponeses, devido a sua situação econômica na sociedade burguesa, estão inevitavelmente numa posição em que vão a reboque ou dos operários ou da burguesia. *Não há meio-termo*. Eles podem hesitar, se confundir, fantasiar, podem reprovar, repreender, amaldiçoar os "rígidos" representantes do proletariado, os "rígidos" representantes da burguesia. Eles podem representar uma minoria. Podem amaldiçoar, vociferar frases sobre a maioria, sobre o caráter amplo e universal de sua democracia do trabalho, sobre a democracia pura. Podem-se encadear as palavras o quanto desejar. Serão sempre palavras encobrindo o fato de que, se o camponês não vai a reboque do operário, ele vai a reboque da burguesia. Não há nem pode haver meio-termo. E as pessoas que, nesse difícil período de transição da história, quando os operários passam fome e sua indústria está parada, não ajudam os operários a conseguir o cereal por um preço mais justo, não por um preço "*livre*", não por um preço capitalista, não por um preço de mercado, implementam o programa koltchakista, por mais que o neguem para si e por mais que estejam sinceramente convencidas de que aplicam seu próprio programa.

V

Vou me deter agora na última questão que destaquei, a questão da derrota e da vitória da revolução. Kautsky, que mencionei a vocês como representante do velho e putrefato socialismo, não entendeu as tarefas da ditadura do proletariado. Ele nos acusa de que uma decisão tomada pela maioria poderia conduzir a uma saída pacífica. A decisão pela ditadura é uma decisão pelo caminho da guerra. Significa que, se vocês não ganham pelo caminho da guerra, serão vencidos e exterminados, porque uma guerra civil não faz prisioneiros, ela os extermina. Assim "tentou" nos assustar Kautsky.

Pura verdade. É um fato. Confirmamos a correção dessa afirmação. Não há o que dizer. A guerra civil é mais séria e mais brutal que qualquer outra. Foi assim que sempre aconteceu na história, começando pelas guerras civis na Roma Antiga, porque uma guerra internacional sempre terminou com um acordo entre as classes possuidoras, e apenas na guerra civil a classe oprimida direciona suas forças no sentido de extinguir a classe opressora, de extinguir as bases econômicas de sustentação dessa classe.

Eu lhes pergunto: de que vale um "revolucionário" que assusta aqueles que começaram uma revolução de que eles podem sair derrotados? Não existiram, não existem, nem vão existir revoluções tais que não corram o risco de serem derrotadas. Chama-se revolução a luta de classes desesperada que atingiu o máximo endurecimento. A luta de classes é inevitável. Ou se deve renunciar à revolução em geral, ou se deve reconhecer que a luta contra a classe possuidora será a mais dura de todas as revoluções. Sobre esse ponto, entre os socialistas com alguma consciência, não há divergências de visão. Quando precisei desmontar toda a base desses escritos de Kautsky, há um ano, escrevi: "ainda que amanhã" – isso foi em setembro do ano passado – "os imperialistas derrubem o poder bolchevique, nem por um segundo nos arrependeremos de tê-lo tomado"[21]. E nenhum operário consciente, representante dos interesses das massas de trabalhadores, se arrependerá, não duvidará de que, apesar de tudo, nossa revolução foi vitoriosa. Uma revolução

[21] Ver, neste volume, p. 63. (N. E.)

avança quando move adiante a classe avançada, quando desfere sérios golpes nos exploradores. Uma revolução sob essas condições vence até mesmo quando sofre uma derrota. Pode parecer um jogo de palavras, mas, para mostrar que se trata de um fato, tomemos um exemplo concreto da história.

Tomemos a grande Revolução Francesa. Não é à toa que ela se chama "grande". Para sua classe, para a classe para a qual ela trabalhou, para a burguesia, ela tanto fez que todo o século XIX, que levou civilização e cultura a toda a humanidade, transcorreu sob o signo da Revolução Francesa. Em todos os cantos do mundo, foi só o que fez, o que levou a cabo, realizou em partes e terminou aquilo que criaram os grandes revolucionários franceses da burguesia, cujos interesses defenderam, ainda que não tivessem consciência, obliterados pelas palavras liberdade, igualdade e fraternidade.

Nossa revolução fez para nossa classe, para a classe à qual servimos, o proletariado, em um ano e meio, incomparavelmente mais do que fizeram os grandes revolucionários franceses.

Eles se aguentaram por dois anos e pereceram sob os golpes da reação europeia coligada, pereceram sob os golpes da coligação das tropas de todo o mundo, que esmagaram os revolucionários franceses, restauraram como legítimo o governo de um monarca em toda a França, os Románov daquela época, restauraram os latifundiários e por longas décadas asfixiaram qualquer movimento revolucionário na França. E, apesar de tudo, a grande Revolução Francesa saiu vitoriosa.

Qualquer um que se debruce seriamente sobre a história dirá que a Revolução Francesa, ainda que tenha sido destruída, de todo modo venceu, porque erigiu em todo o mundo os pilares da democracia burguesa, da liberdade burguesa, o que é irreversível.

Nossa revolução em um ano e meio fez ao proletariado, à classe à qual servimos, ao objetivo pelo qual trabalhamos – a derrubada do domínio do capital –, incomparavelmente mais que a Revolução Francesa fez por sua classe. É por isso que dizemos que, se, até mesmo tomando como possibilidade hipotética, acontecer o pior dos casos possíveis, se amanhã algum feliz Koltchak arrancar a cabeça de cada bolchevique, a revolução continuaria invencível. E a prova de nossas palavras está no fato de que a nova organização do Estado, criada por essa revolução, já venceu moralmente na classe operária de todo o mundo, já tem o seu apoio. Quando os revolucionários franceses pereceram na luta, pereceram sozinhos, não tiveram o apoio de outros países. Nossa revolução agora, tendo transcorrido um ano e meio de domínio do poder bolchevique, logrou que a nova organização do Estado, a qual ela criou, a organização dos sovietes, tornou-se compreensível, conhecida, popular para todos os operários do mundo, tornou-se algo próprio para eles.

Tenho lhes demonstrado que a ditadura do proletariado é inevitável, necessária e indiscutivelmente obrigatória para a saída do capitalismo. A ditadura não significa apenas a violência; ainda que ela seja impossível sem violência, ela significa, também, uma organização do trabalho superior à organização precedente. Foi por isso que em minha curta saudação no início do congresso sublinhei essa tarefa de *organização* básica, elementar, simples, e é por isso que me volto com implacável hostilidade contra qualquer invencionice da *intelligentsia*, contra qualquer "cultura proletária". A essas invencionices contraponho o alfabeto da organização. Distribuir os cereais e o carvão, com atitude zelosa para com cada grama de carvão, com cada grama de cereal: essa é a tarefa da disciplina proletária. Não se trata da disciplina mantida na base do porrete, como mantiveram a disciplina na base do porrete os senhores feudais, nem da disciplina da fome, como fazem os capitalistas, mas da disciplina camarada, da disciplina das associações operárias. Resolvamos essa tarefa de organização simples, elementar, e venceremos. Assim, estarão completamente conosco os camponeses, que vacilam entre os operários e os capitalistas, que não sabem se vão junto com aquelas pessoas em quem ainda não confiam, mas para as quais não se pode negar que realizam uma ordem de trabalho mais justa, sem exploração, na qual a "liberdade" de comércio dos cereais será um crime contra do Estado, ou se vão atrás destes ou daqueles que à moda antiga prometem livre comércio de cereais com isso significando supostamente liberdade de trabalho. Se os camponeses virem que o proletariado está construindo seu poder estatal de modo a manter a ordem – e os camponeses exigem isso, eles querem isso e nisso estão com a razão, ainda que haja muito preconceito vago e reacionário relacionado a esse desejo camponês pela ordem –, no fim das contas, depois de uma série de hesitações, vão seguir o operário. O camponês não pode pura e simplesmente pular de uma vez da sociedade antiga para a nova. Ele sabe que a antiga sociedade dava-lhe "ordem" sob o preço do esmagamento dos trabalhadores e sob o preço de sua escravidão. O que ele não sabe é que o proletariado pode lhe dar a ordem. Desse embotamento, dessa obtusidade, dessa desunião, não se pode pedir mais. Ele não acredita em nenhuma palavra, em nenhum programa. E é bom que assim seja, que não acredite em palavras, porque, de outro modo, não haveria saída do engano. Ele acredita apenas na prática, na experiência prática. Demonstrem-lhe que vocês – o proletariado unido, o poder estatal proletário, a ditadura do proletariado – são capazes de distribuir o cereal e o carvão sem desperdiçar um grão de cereal e um grama de carvão, que são capazes de fazer com que cada grama excedente de cereal e de carvão não vá para a venda especulativa, não esteja a serviço dos heróis da Sukharieva, e sim a serviço da distribuição justa, para alimentar os operários famintos, para apoiá-los até mesmo nos tempos de desemprego, quando as indústrias e as fábricas estão paradas. Demonstrem-lhe isso. Eis a tarefa fundamental da cultura proletária, da organização proletária. A violência pode ser aplicada sem que se estabeleçam raízes econômicas, mas então o olho da história a condenará à morte. Contudo, é possível aplicar a violência apoiando-se na classe avançada, segundo os mais altos princípios da construção socialista, da ordem e da organização. *E assim ela pode sofrer um fracasso temporário, mas será invencível.*

Se a organização proletária mostrar aos camponeses que a ordem está mantida, que a distribuição do trabalho e dos cereais é correta, zelosa com cada grama de cereal e de carvão, que nós, como operários, em nossa disciplina de camaradas, nossa disciplina sindical, podemos realizar isso, que a força que empregamos é apenas para assegurar os interesses do trabalho, tomando o cereal dos especuladores, não dos trabalhadores, e que entraremos em um acordo com os camponeses médios, com os camponeses trabalhadores, e que estamos prontos a lhes dar tudo o que podemos dar agora, se os camponeses virem isso, então sua união com a classe operária, sua união com o proletariado será invencível – e é nesse sentido que seguimos.

Eu me desviei um pouco do meu tema e devo voltar a ele. Agora, em todos os países, a palavra "bolchevique" e a palavra "soviete" deixaram de ser expressões estranhas como eram havia pouco, assim como repetíamos a palavra "*boxer*" sem entendê-la. A palavra "bolchevique" e a palavra "soviete" são repetidas em todas as línguas do mundo. Os operários conscientes veem como a burguesia de todos os países, todos os dias, nos milhares de exemplares de seus jornais, cobrem de calúnias o poder soviético – e tomam parte nessa batalha. Eu li há pouco tempo alguns jornais americanos. Li um discurso de um sacerdote americano que dizia que os bolcheviques são pessoas imorais, que nacionalizaram as mulheres, que são bandidos, saqueadores. Eu li a resposta dos socialistas americanos: eles distribuem a cinco centavos de dólar a Constituição da República Soviética da Rússia, essa "ditadura" que não oferece "igualdade de democracia de trabalho". Eles respondem citando um parágrafo da constituição desses "usurpadores", "bandidos", "violentos" que violam a unidade da democracia do trabalho. Entretanto, quando receberam Brechkóvskaia, um grande jornal capitalista de Nova York imprimiu em letras garrafais no dia de sua chegada: "Seja bem-vinda, vovó!". Os socialistas americanos reimprimiram isso e disseram: "Ela é a favor da democracia política, e lhes surpreende, operários americanos, que a defendam os capitalistas?". Ela é a favor da democracia política. Por que deviam defendê-la? Porque são contra a Constituição soviética. "E aqui está", dizem os socialistas americanos, "um parágrafo da constituição desses bandidos". Eles citam sempre o único e mesmo parágrafo, que diz: não pode votar nem ser votado todo aquele que explora o trabalho alheio. Esse é um parágrafo da nossa constituição conhecido em todo o mundo. O poder soviético, justamente graças ao fato de ter dito abertamente que tudo está subordinado à ditadura do proletariado, que se trata de um novo tipo de organização do Estado, justamente por isso atraiu a simpatia de todos os trabalhadores do mundo. Essa nova organização nasce por meio de um grandioso trabalho, porque vencer nossa desorganização, nossa indisciplina pequeno-burguesa é o trabalho mais difícil, é milhões de vezes mais difícil que vencer os tiranos latifundiários ou os tiranos capitalistas, mas é também 1 milhão de vezes mais frutífero para a criação da nova organização, livre da exploração. Quando a organização proletária cumprir essa tarefa, então o socialismo terá vencido definitivamente. É preciso dedicar a isso toda a atividade de vocês tanto na educação extraescolar quanto na educação escolar. Apesar das condições extraordinariamente difíceis, apesar de a revolução socialista ter acontecido primeiro em um país com condições culturais tão baixas, apesar disso, o poder soviético ganhou o reconhecimento dos operários de outros países. A expressão "cultura proletária" é uma expressão latina, e qualquer pessoa trabalhadora que a tenha ouvido não entendeu do que se trata, não entendeu como ela pode se efetivar na vida. Agora essa expressão passou do latim para as línguas atuais do povo, agora nós mostramos que a ditadura do proletariado é o poder dos sovietes, um poder em que os próprios operários se organizam e dizem: "Nossa organização é superior a todas, e ninguém que não trabalhe nem ninguém que seja um explorador têm direito de participar dessa organização. Essa organização vai rumo a um único objetivo: a derrubada do capitalismo. E com nenhuma palavra de ordem falsa, nenhum fetiche como 'liberdade', 'igualdade', vocês vão nos enganar. Nós não reconhecemos nenhuma liberdade, nenhuma igualdade, nenhuma democracia do trabalho se estas são opostas aos interesses da emancipação do trabalho do jugo do capital". Incluímos isso na Constituição soviética e ganhamos a simpatia dos operários de todo o mundo. Eles sabem que, apesar das dificuldades em que nasceu a nova ordem, das difíceis provações e até mesmo das derrotas que algumas repúblicas soviéticas terão que enfrentar, não há força no mundo capaz de fazer a humanidade retroceder. [Aplausos calorosos.]

3. A REVOLUÇÃO PROLETÁRIA E O RENEGADO KAUTSKY[1]

PREFÁCIO

A brochura de Kautsky *A ditadura do proletariado* (Ignaz Brand, 1918, 63 páginas)[2], publicada há pouco em Viena, constitui um exemplo evidente da mais completa e vergonhosa falência da Segunda Internacional, da qual há muito tempo falam todos os socialistas honestos de todos os países. A questão da revolução proletária passa agora na prática para a ordem do dia em toda uma série de Estados. Por isso a análise dos sofismas de um renegado e da completa renúncia ao marxismo em Kautsky torna-se necessária.

Em primeiro lugar, porém, é preciso destacar que, desde o próprio início da guerra, o autor destas linhas teve que apontar muitas vezes o rompimento de Kautsky com o marxismo. Foi consagrada a isso uma série de artigos publicados no estrangeiro, de 1914 a 1916, no Социал-Демократа/*Sotsial-Demokrat* [Social-democrata][3] e no Коммунист/*Kommunist* [Comunista][4]. Esses textos foram reunidos numa edição do Soviete de Petrogrado: G. Zinóviev e N. Lênin, *Contra a corrente*, Petrogrado, 1918 (550 páginas)[5]. Numa brochura publicada em Genebra em 1915 e depois traduzida para o alemão e para o francês, escrevi sobre o "kautskismo":

[1] Este texto, escrito em 10 de novembro de 1918 e publicado como brochura no mesmo ano (Moscou, Izdátchelstvo Kommunist, 1918), foi traduzido pelas Edições Avante! com base em Vladímir Ilitch Lênin, *Pólnoie sobránie sotchiniéni*, v. 37 (5. ed., Moscou, Izdátchelstvo Polititcheskoi Literatury, 1969), p. 235-331. (N. E.)

[2] Ed. bras.: trad. Eduardo Sucupira Filho, São Paulo, Ciências Humanas, 1979. (N. E.)

[3] Jornal do Partido Operário Social-Democrata da Rússia (POSDR), publicado de 1908 a 1917 no exterior (sobretudo Paris e Genebra). (N. E.)

[4] Revista fundada por Lênin e editada pela redação do *Sotsial-Demokrat*, cuja única edição (dupla) foi publicada em setembro de 1915 na cidade de Genebra. (N. E.)

[5] Mantivemos o padrão das referências bibliográficas originais de Lênin no corpo do texto. (N. E.)

Kautsky, a maior autoridade da Segunda Internacional, constitui um exemplo extremamente típico e claro de como o reconhecimento verbal do marxismo conduziu, na prática, à sua transformação em "struvismo" ou em "brentanismo" (ou seja, numa doutrina liberal burguesa que reconhece uma luta "de classes" não revolucionária do proletariado, o que foi expresso com particular clareza pelo escritor russo Struve e pelo economista alemão Brentano). Isso nós vemos também no exemplo de Plekhánov. Com claros sofismas esvazia-se o marxismo de sua alma revolucionária viva, reconhece-se no marxismo *tudo menos* os meios revolucionários de luta, a sua propaganda e a preparação, a educação das massas precisamente nesse sentido. Kautsky "concilia" sem princípios a ideia fundamental do social-chauvinismo, o reconhecimento da defesa da pátria na presente guerra, com uma concessão diplomática e simulada à esquerda na forma de abstenção na votação dos créditos, do reconhecimento verbal de sua oposição etc. Kautsky, que em 1909 escreveu um livro inteiro sobre a aproximação de uma época de revoluções e sobre a relação entre a guerra e a revolução, Kautsky, que em 1912 assinou o Manifesto de Basileia sobre a utilização revolucionária da guerra futura, justifica e embeleza agora de todas as maneiras o social-chauvinismo e, como Plekhánov, se junta à burguesia para ridicularizar toda a ideia de revolução, todos os passos visando a uma luta diretamente revolucionária.

A classe operária não pode realizar seu objetivo revolucionário mundial se não fizer uma guerra implacável a essa renegação, a essa falta de caráter, a essa atitude de servilismo perante o oportunismo e a essa vulgarização teórica sem precedentes do marxismo. O kautskismo não é casual, mas é o produto social das contradições da Segunda Internacional, da combinação da fidelidade ao marxismo nas palavras com a subordinação na prática ao oportunismo. (G. Zinóviev e N. Lênin, *O socialismo e a guerra*, Genebra, 1915, p. 13-4)[6]

Adiante. No livro *O imperialismo, fase superior do capitalismo*[7], escrito em 1916 (publicado em Petrogrado em 1917), analisei detalhadamente a falsidade teórica de todos os raciocínios de Kautsky sobre o imperialismo. Citei a definição do imperialismo dada por ele: "O imperialismo é um produto do capitalismo industrial altamente desenvolvido. Consiste na tendência de

[6] Ver Vladímir Ilitch Lênin, "O socialismo e a guerra", em *Obras escolhidas em seis tomos*, v. 2 (Lisboa/Moscou, Avante!/Progresso, 1984), p. 227-67. (N. E.)

[7] Idem, "O imperialismo, fase superior do capitalismo", em *Obras escolhidas em seis tomos*, v. 2, cit., p. 291-404 [ed. bras.: trad. Leila Prado, São Paulo, Centauro, 2008]. (N. E.)

toda a nação capitalista industrial a submeter ou anexar cada vez mais regiões *agrárias* (destaque de Kautsky), quaisquer que sejam as nações que as povoam"[8]. Mostrei que essa definição, absolutamente falsa, era uma "adaptação" de modo a esvanecer as mais profundas contradições do imperialismo para, em seguida, chegar à conciliação com o oportunismo. Apresentei minha própria definição do imperialismo:

> O imperialismo é o capitalismo na fase de desenvolvimento em que ganhou corpo a dominação dos monopólios e do capital financeiro, adquiriu marcada importância a exportação de capitais, começou a partilha do mundo pelos *trusts* internacionais e terminou a partilha de toda a Terra entre os países capitalistas mais importantes.[9]

Mostrei que a crítica do imperialismo em Kautsky está de fato abaixo da crítica burguesa, filisteia.

Por fim, em agosto e setembro de 1917, ou seja, antes da revolução proletária na Rússia em 25 de outubro (7 de novembro), escrevi a obra *O Estado e a revolução: a doutrina do marxismo sobre o Estado e as tarefas do proletariado na revolução*[10], publicado em Petrogrado em princípios de 1918, e aqui, no capítulo 6 ("A vulgarização do marxismo pelos oportunistas")[11], dediquei especial atenção a Kautsky, demonstrando que ele deturpa por completo a doutrina de Marx, que a adaptou ao oportunismo e "renegou na prática a revolução ao mesmo tempo em que a reconhecia nas palavras"[12].

No fundo, o erro teórico fundamental de Kautsky em sua brochura sobre a ditadura do proletariado consiste precisamente nas deturpações oportunistas da doutrina de Marx sobre o Estado, que revelei em pormenores na minha obra *O Estado e a revolução*.

Essas observações preliminares eram necessárias, pois provam que acusei abertamente Kautsky de ser um renegado *muito antes* de os bolcheviques

[8] Ibidem, p. 369.

[9] Ibidem, p. 368.

[10] Ed. bras.: trad. Avante!, São Paulo, Boitempo, 2017. (N. E.)

[11] Ibidem, p. 129-48.

[12] Ibidem, p. 135.

terem tomado o poder de Estado e de terem, por isso, sido condenados por Kautsky.

COMO KAUTSKY REDUZIU MARX A UM LIBERAL MEDÍOCRE

A questão fundamental que Kautsky aborda em sua brochura é a do conteúdo essencial da revolução proletária, a saber, a questão da ditadura do proletariado. Trata-se de uma questão de suma importância para todos os países, sobretudo para os avançados, sobretudo para os beligerantes, sobretudo no momento atual. Pode dizer-se, sem exagero, que é a questão principal de toda a luta de classes proletária. Por isso, é indispensável determo-nos nela com atenção.

Kautsky coloca a questão do seguinte modo: "A oposição de ambas as correntes socialistas" (ou seja, dos bolcheviques e dos não bolcheviques) é "a oposição de dois métodos radicalmente diferentes: o democrático e o ditatorial" (p. 3).

Observemos de passagem que, ao chamar de socialistas os não bolcheviques da Rússia, isto é, os mencheviques e os SRs, Kautsky guia-se pela *denominação* deles, ou seja, pela palavra e não pelo *lugar efetivo* que ocupam na luta do proletariado contra a burguesia. Excelente compreensão e aplicação do marxismo! Mas falaremos sobre isso em detalhes a seguir.

Por ora precisamos considerar o principal: a grande descoberta de Kautsky sobre a "oposição radical" entre os "métodos democrático e ditatorial". É esse o nó da questão. É essa a essência da brochura de Kautsky. E é essa uma confusão teórica tão monstruosa, de tal completa renegação do marxismo, que é preciso reconhecer que Kautsky ultrapassou Bernstein – e muito.

A questão da ditadura do proletariado é a questão da relação do Estado proletário com o Estado burguês, da democracia proletária com a democracia burguesa. Não seria isso tão claro quanto o dia? Mas Kautsky, exatamente como um professor de ginásio ressequido pela repetição de manuais de história, vira obstinadamente as costas para o século XX, ficando de frente para o século XVIII, e, pela centésima vez, de modo incrivelmente entediante, numa longa sucessão de parágrafos, rumina e mastiga velharias sobre a relação da democracia burguesa com o absolutismo e a Idade Média!

Na verdade, é precisamente como se, em sonho, mastigasse um trapo!

Afinal, isso significa não compreender categoricamente o que é o quê. Afinal, só podem provocar o riso os esforços de Kautsky para apresentar as coisas como se houvesse pessoas que pregassem "o desprezo da democracia" (p. 11) etc. Com tais absurdos, Kautsky pretende confundir e enredar a questão, pois ele a coloca como os liberais, em termos de democracia em geral e não da democracia *burguesa*. Chega até a se esquivar desse conceito preciso de classe e tenta falar da democracia "pré-socialista". Quase um terço da brochura, 20 páginas de 63, encheu nosso impostor com um palavreado muito agradável à burguesia, pois equivale a embelezar a democracia burguesa e a confundir a questão da revolução proletária.

Ainda assim, o título da brochura de Kautsky é *A ditadura do proletariado*. É de conhecimento geral que essa é precisamente a *essência* da doutrina de Marx. E Kautsky, depois de todo esse palavreado fora do tema, é *obrigado* a citar as palavras de Marx sobre a ditadura do proletariado.

Como fez o "marxista" Kautsky: isso já é uma verdadeira comédia! Notem:

"Em uma única palavra de Karl Marx baseia-se esse ponto de vista" (que Kautsky qualifica de desprezo pela democracia), isso é o que Kautsky diz textualmente na página 20. E na página 60 isso é repetido mesmo na forma de que (os bolcheviques) "se lembraram em tempo da palavrinha" (literalmente assim, *des Wörtchens*!!!) "sobre a ditadura do proletariado, empregada por Marx uma vez em 1875 numa carta".

Eis a "palavrinha" de Marx: "Entre a sociedade capitalista e a comunista, situa-se o período da transformação revolucionária de uma na outra. A ele corresponde também um período político de transição, cujo Estado não pode ser senão a *ditadura revolucionária do proletariado*"[13].

[13] Ver Karl Marx, *Crítica do Programa de Gotha* (trad. Rubens Enderle, São Paulo, Boitempo, 2012), p. 43. (N. E.)

Em primeiro lugar, denominar essa notável reflexão de Marx, que resume toda a sua doutrina revolucionária, como "uma única palavra", ou até como "palavrinha", significa zombar do marxismo, significa renegá-lo completamente. Não se deve esquecer que Kautsky conhece Marx quase de cor e que, a julgar por todos os escritos de Kautsky, tem na mesa de trabalho ou na cabeça uma série de gavetinhas de madeira nas quais tudo o que Marx escreveu está dividido com a máxima ordem e cuidado para citação. Kautsky *não pode não saber* que tanto Marx quanto Engels, tanto em cartas quanto em obras publicadas, falaram *muitas vezes* da ditadura do proletariado, tanto antes quanto, sobretudo, depois da Comuna[14]. Kautsky não pode não saber que a fórmula "ditadura do proletariado" não é apenas a formulação historicamente mais concreta e cientificamente mais precisa da tarefa do proletariado de "quebrar" a máquina de Estado burguesa, da qual (a tarefa) tanto Marx quanto Engels, tendo em conta a experiência das revoluções de 1848, e ainda mais da de 1871, falaram, de 1852 a 1891, *durante quarenta anos*.

Como explicar essa monstruosa deturpação do marxismo pelo letrado em marxismo Kautsky? Ao se falar das bases filosóficas desse fenômeno, tudo se reduz a uma substituição da dialética pelo ecletismo e pela sofística. Kautsky é um grande mestre nesse tipo de substituição. Ao se falar no terreno da política prática, tudo se reduz a servilismo perante os oportunistas, ou seja, ao fim e ao cabo, perante a burguesia. Progredindo cada vez mais rapidamente desde o começo da guerra, Kautsky atingiu o virtuosismo nessa arte de ser marxista nas palavras e lacaio da burguesia na prática.

Ficamos ainda mais convencidos disso quando examinamos a notável "interpretação" de Kautsky da "palavrinha" de Marx sobre a ditadura do proletariado. Notem:

> Marx, infelizmente, não indicou de forma mais pormenorizada como concebia essa ditadura... [Uma frase completamente mentirosa de um renegado, porque Marx e Engels deram precisamente uma série de indicações muito detalhadas que o letrado em marxismo Kautsky elude intencionalmente.] Literalmente, a palavra "ditadura" significa extinção da democracia. Mas, evidentemente, tomada

[14] Ver, neste volume, p. 187. (N. E.)

> literalmente, essa palavra significa também o poder pessoal de uma só pessoa, que não está vinculada a nenhuma lei. Poder pessoal que difere do despotismo na medida em que não é entendido como instituição estatal permanente, mas como medida transitória da emergência.
> A expressão "ditadura do proletariado", consequentemente, não a ditadura de uma pessoa, mas de uma classe, já exclui que Marx, ao utilizá-la, tivesse aqui em vista a ditadura no sentido literal da palavra.
> Não falava aqui de uma *forma de governo*, mas de uma *condição* que necessariamente deve produzir-se em toda a parte onde o proletariado tenha conquistado o poder político. Que Marx não tinha aqui em vista a forma de governo já está demonstrado pelo fato de que ele sustentava a ideia de que na Inglaterra e na América a transição podia realizar-se pacificamente, portanto, por via democrática. (p. 20)

Citamos intencionalmente todo esse raciocínio para que o leitor possa ver com clareza os processos de que se serve o "teórico" Kautsky.

Kautsky quis abordar a questão de modo a começar pela definição da *palavra* "ditadura".

Muito bem. Abordar as questões como quiser é um direito sagrado de todos. Só é preciso distinguir a abordagem séria e honesta da questão da abordagem desonesta. Quem quiser tratar seriamente o problema com esse método deveria dar *sua própria definição* da palavra. Então a questão estaria colocada de modo claro e direto. Kautsky não faz isso. "Literalmente", escreve, "a palavra 'ditadura' significa extinção da democracia".

Em primeiro lugar, isso não é uma definição. Se Kautsky desejava evitar a definição do conceito de ditadura, por que escolheu essa forma de abordar a questão?

Em segundo lugar, isso é claramente falso. Um liberal fala naturalmente de "democracia" em geral. Um marxista nunca se esquecerá de colocar a questão: "Para qual classe?". Todo mundo sabe, por exemplo – e o "historiador" Kautsky também sabe –, que as insurreições ou mesmo as fortes agitações dos escravos na Antiguidade revelavam de imediato a essência do Estado antigo como uma *ditadura dos escravistas*. Essa ditadura suprimia a democracia *entre* os escravistas, *para* eles? Todo mundo sabe que não.

O "marxista" Kautsky disse um absurdo monstruoso e uma falsidade, pois "se *esqueceu*" da luta de classes...

Para transformar a afirmação liberal e mentirosa feita por Kautsky em uma afirmação marxista e verdadeira, é preciso dizer: ditadura não significa necessariamente a extinção da democracia para a classe que exerce essa ditadura sobre as outras classes, mas significa necessariamente a extinção (ou uma restrição muito essencial, o que é também uma das formas de supressão) da democracia para a classe sobre a qual ou contra a qual se exerce a ditadura.

Por mais verdadeira que seja essa afirmação, contudo, ela não oferece uma definição de ditadura.

Examinemos a seguinte frase de Kautsky:

"... Mas, evidentemente, tomada literalmente, essa palavra significa também o poder pessoal de uma só pessoa, que não está vinculada a nenhuma lei...".

Como um cachorrinho cego que mete o nariz ao acaso ora aqui, ora ali, Kautsky tropeçou sem querer em *uma* ideia correta (a saber, que a ditadura é um poder que não está amarrado por nenhuma lei), mas *não deu* uma definição de ditadura e disse, além disso, uma evidente falsidade histórica: que ditadura significa o poder de uma só pessoa. Isso é incorreto até gramaticalmente, pois exercer a ditadura é possível tanto a um punhado de pessoas quanto a uma oligarquia e a uma classe etc.

Adiante, Kautsky indica a diferença entre ditadura e despotismo; ainda assim, embora sua afirmação seja claramente incorreta, não vamos nos deter nela, pois não tem a ver com a questão que nos interessa. É conhecida a inclinação de Kautsky de partir do século XX para o século XVIII, e do século XVIII para a Antiguidade, e esperamos que, quando atingir a ditadura, o proletariado alemão levará em conta essa inclinação e nomeará Kautsky, digamos, professor de história antiga numa escola. Esquivar-se de uma definição de ditadura do proletariado por meio de filosofices sobre despotismo é extrema estupidez ou falcatrua muito pouco hábil.

Em resumo, vemos que, ao se propor a falar de ditadura, Kautsky disse muitas coisas notoriamente falsas, mas não deu nenhuma definição! Ele poderia, em vez de confiar em suas faculdades intelectuais, ter recorrido à memória e retirado das "gavetinhas" todos os casos em que Marx fala de ditadura. Teria obtido, certamente, ou a seguinte definição – ou outra que, em essência, coincidiria com ela:

A ditadura é um poder que se apoia diretamente na violência e não está vinculado a nenhuma lei.

A ditadura revolucionária do proletariado é um poder conquistado e mantido pela violência do proletariado sobre a burguesia, um poder que não está vinculado a nenhuma lei.

E eis que essa simples verdade, uma verdade clara como a luz do dia para qualquer operário consciente (um representante da massa, não da camada superior da canalha filistina subornada pelos capitalistas, como são os sociais-imperialistas de todos os países), essa verdade evidente para qualquer representante dos explorados que lutam por sua emancipação, essa verdade indiscutível para qualquer marxista, é preciso "conquistá-la pela guerra" ao doutíssimo sr. Kautsky! Como explicar isso? Pelo espírito de servilismo de que estão penetrados os chefes da Segunda Internacional, transformados em desprezíveis capachos a serviço da burguesia.

Primeiro Kautsky promove essa trapaça, declarando, coisa evidentemente absurda, que em seu sentido literal a palavra "ditadura" significa a ditadura de uma só pessoa e depois – na base dessa trapaça! – declara que em Marx, "consequentemente", as palavras sobre a ditadura de uma classe *não* têm sentido literal (e um sentido segundo o qual ditadura não significa violência revolucionária, mas uma conquista "pacífica" da maioria sob a – notem – "democracia" burguesa).

É preciso distinguir, como se pode ver, entre "condição" e "forma de governo". Distinção espantosamente profunda, como se distinguíssemos entre a "condição" da idiotice de uma pessoa que raciocina sem inteligência e a "forma" de suas idiotices.

Kautsky *precisa* interpretar a ditadura como uma "condição de dominação" (essa expressão ele emprega literalmente na página seguinte, a 21), porque então *desaparece a violência revolucionária*, desaparece a *revolução violenta*. A "condição de dominação" é a condição em que se encontra qualquer maioria sob... a "democracia"! Com esse truque de trapaceiro, *a revolução* felizmente *desaparece*!

Mas a trapaça é grosseira demais e não salvará Kautsky. Que a ditadura pressupõe e significa uma "condição" desagradável para renegados, da *violência revolucionária* de uma classe sobre outra, isso "salta aos olhos até no escuro"[15]. O caráter absurdo da distinção entre "condição" e "forma de governo" fica evidente. Falar aqui de forma de governo é triplamente estúpido, porque qualquer criança sabe que monarquia e república são formas diferentes de governo. É preciso demonstrar ao sr. Kautsky que essas duas formas de governo, como todas as "formas de governo" transitórias sob o capitalismo, não são mais que variedades do *Estado burguês*, ou seja, da *ditadura da burguesia.*

Falar de formas de governo, finalmente, é uma falsificação não só estúpida, mas também grosseira de Marx, que trata aqui com a máxima clareza da forma ou do tipo de *Estado*, não da forma de governo.

A revolução proletária é impossível sem a destruição violenta da máquina de Estado burguesa e a sua substituição por uma *nova* que, segundo as palavras de Engels, "já não era um Estado em sentido próprio"[16].

Tudo isso Kautsky precisa escamotear e encobrir: assim o exige sua posição de renegado.

Vejam a que miseráveis subterfúgios ele recorre.

Primeiro subterfúgio. "... Que Marx não tinha aqui em vista a forma de governo é demonstrado pelo fato de que ele considerava possível na Inglaterra e na América uma transformação pacífica, ou seja, pela via democrática...".

A *forma de governo* não tem absolutamente nada a ver com isso, porque há monarquias que não são típicas do *Estado* burguês, que se distinguem, por exemplo, pela ausência de camarilha militarista, e há repúblicas bastante típicas em relação a isso, por exemplo, com camarilha militarista e burocracia. Esse é um fato histórico e político conhecido, e Kautsky não conseguirá falsificá-lo.

Se Kautsky quisesse refletir séria e honestamente, teria perguntado a si mesmo: existem leis históricas relativas à revolução e que não conheçam exceções? A resposta seria: não, não existem tais leis. Essas leis têm em vista

[15] No original, "шила в мешке не утаишь". Dito popular cujo sentido literal é: "Não se esconde nem costurado em um saco/uma bolsa". (N. R. T.)

[16] Ver "Carta de Friedrich Engels a August Bebel, 18/28 mar. 1875", em Karl Marx, *Crítica do Programa de Gotha*, cit., p. 56. (N. E.)

apenas aquilo que é típico, aquilo a que Marx uma vez chamou de "ideal", no sentido de capitalismo médio, normal, típico.

Adiante. Existiria nos anos 1870 algo que fizesse da Inglaterra ou da América uma exceção *no aspecto examinado*? Para qualquer um que tivesse familiaridade com as exigências da ciência no campo das questões históricas, é evidente que essa é uma questão imprescindível de se colocar. Não colocá-la significa falsificar a ciência, significa brincar com sofismas. E, uma vez colocada essa questão, não se pode duvidar da resposta: a ditadura revolucionária do proletariado é a *violência* contra a burguesia; o caráter imprescindível dessa violência torna-se *particularmente* necessário, como explicaram muitas vezes e de maneira pormenorizada Marx e Engels (particularmente em *A guerra civil na França* e em seu prefácio[17]), devido à existência da *camarilha militarista* e da *burocracia*. Precisamente essas instituições, precisamente na Inglaterra e na América e precisamente nos anos 70 do século XIX, quando Marx fez sua observação, *não existiam*! (Agora já *existem* tanto na Inglaterra como na América.)

Kautsky precisa literalmente trapacear a cada passo para esconder sua renegação!

E notem como aqui ele, de modo inadvertido, mostrou suas orelhas de burro, escrevendo: "Pacificamente, *ou seja, pela via democrática*"!!!

Ao definir a ditadura, Kautsky fez todos os esforços para esconder do leitor o traço fundamental do conceito: a *violência* revolucionária. E agora a verdade veio com tudo: trata-se da oposição entre *revolução pacífica* e *revolução violenta.*

Eis aqui o xis da questão[18]. Todos os subterfúgios, os sofismas, as falsificações trapaceiras, são necessários a Kautsky para se *esquivar* da revolução *violenta*, para esconder que a renega, que passa para o lado da política operária *liberal*, ou seja, para o lado da burguesia. Eis aqui o xis da questão.

[17] Ver Karl Marx, *A guerra civil na França* (trad. Rubens Enderle, São Paulo, Boitempo, 2011) e Friedrich Engels, "Introdução à *Guerra civil na França*, de Karl Marx (1891)", em Karl Marx, *A guerra civil na França*, cit., p. 187-97. (N. E.)

[18] No original, "Вот где зарыта собака"; provérbio russo cuja tradução literal equivale à frase "Eis onde o cão está enterrado", e cujo significado figurado equivale a "Esta é a essência do problema". (N. E.)

O "historiador" Kautsky falsifica a história com tanto descaramento que "esquece" o fundamental: o capitalismo pré-monopolista – cujo apogeu corresponde justamente aos anos 70 do século XIX – em consequência de suas particularidades econômicas essenciais, que na Inglaterra e na América se manifestavam de modo particular, distinguia-se por um apego relativamente maior à paz e à liberdade. Mas o imperialismo, ou seja, o capitalismo monopolista, que só atingiu a plena maturidade no século XX, por suas particularidades *econômicas* essenciais, distingue-se por um apego mínimo à paz e à liberdade, por um desenvolvimento máximo da camarilha militarista em toda a parte. "Não notá-lo" ao refletir sobre em que medida uma insurreição pacífica ou violenta é típica ou provável significa descer ao nível do mais medíocre lacaio da burguesia.

Segundo subterfúgio. A Comuna de Paris foi uma ditadura do proletariado e foi eleita por sufrágio *universal*, ou seja, sem privar a burguesia de seu direito de voto, ou seja, "*democraticamente*". E Kautsky celebra: "... A ditadura do proletariado foi para Marx" (ou segundo Marx) "uma condição que decorre necessariamente da democracia pura se o proletariado constitui a maioria" (*bei überwiegendem Proletariat*, p. 21)[19].

Esse argumento de Kautsky é tão engraçado que, na verdade, sente-se um autêntico *embarras de richesses*[20] (uma *dificuldade devido à abundância...* de objeções). Em primeiro lugar, é sabido que a fina flor, o estado-maior, as camadas superiores da burguesia fugiram de Paris para Versalhes. Em Versalhes, estava o "socialista" Louis Blanc, o que prova, diga-se de passagem, que é mentirosa a afirmação de Kautsky de que da Comuna teriam participado "todas as tendências" do socialismo. Não é ridículo apresentar como "democracia pura" com "sufrágio universal" a divisão dos habitantes de Paris em dois campos beligerantes, em um dos quais se concentrava toda a burguesia combativa, politicamente ativa?

Em segundo lugar, a Comuna lutou contra Versalhes, como governo operário *da França* lutou contra o governo burguês. O que há aqui de "democracia pura" e de "sufrágio universal" quando Paris decidia o destino da

[19] Lênin menciona a passagem original em alemão da brochura de Kautsky. (N. E.)

[20] Conforme original. (N. E.)

França? Quando considerava que a Comuna tinha cometido um erro não tomando o banco, que pertencia a toda a França[21], estaria Marx partindo dos princípios e da prática da "democracia pura"?

Como se vê, Kautsky escreve num país em que a polícia proíbe as pessoas de rir "em conjunto", pois, de outro modo, Kautsky já teria sido morto pelos risos.

Em terceiro lugar, permitam-me recordar respeitosamente ao sr. Kautsky, que conhece Marx e Engels de cor, a seguinte apreciação de Engels sobre a Comuna do ponto de vista... da "democracia pura":

> Nunca viram uma revolução, tais senhores [os antiautoritários]? Uma revolução é, certamente, a coisa mais autoritária possível. Uma revolução é o ato pelo qual uma parte da população impõe à outra parte sua vontade por meio de espingardas, baionetas, canhões etc., meios autoritários por excelência; e o partido vitorioso, se não quer ter combatido em vão, deve continuar esse domínio com o terror que suas armas inspiram aos reacionários. Teria a Comuna de Paris durado um só dia, se não tivesse se servido dessa autoridade de povo armado face aos burgueses? Não deveríamos condenar, ao contrário, que a Comuna não tenha se servido bastante largamente dela?[22]

Eis a "democracia pura"! Como Engels teria zombado do vulgar filisteu, do "social-democrata" (no sentido francês dos anos 1840 e europeu dos anos 1914-1918) que tivesse se lembrado de falar em geral de "democracia pura" numa sociedade dividida em classes!

Mas basta. Enumerar todos os absurdos a que chega Kautsky é algo impossível, porque cada uma de suas frases é um abismo sem fundo de renegação.

Marx e Engels analisaram em pormenores a Comuna de Paris e mostraram que o seu mérito consistiu na tentativa de *quebrar*, *demolir* "a máquina de Estado já pronta"[23]. Marx e Engels atribuíram tal importância a essa conclusão, que em 1872 *apenas* introduziram essa emenda no programa "ultrapassado"

[21] Ver Friedrich Engels, "Introdução à *Guerra civil na França*, de Karl Marx (1891)", em Karl Marx, *A guerra civil na França*, cit., p. 194. (N. E.)

[22] Idem, "Sobre a autoridade", em Karl Marx e Friedrich Engels, *Obras escolhidas em três tomos*, v. 2 (Lisboa/Moscou, Avante!/Progresso, 1985), p. 410. (N. E.)

[23] Ver "Carta de Karl Marx a Ludwig Kugelmann em Hannover, 12 abr. 1871", em *A guerra civil na França*, cit., p. 208. (N. E.)

(em algumas partes) do *Manifesto Comunista*[24]. Marx e Engels mostraram que a Comuna extinguiu o exército e o funcionalismo, extinguiu o *parlamentarismo*, destruiu a "excrescência parasitária que é o Estado" etc., mas o sapientíssimo Kautsky, tendo metido a touca de dormir, repete aquilo que os professores liberais disseram mil vezes: as fábulas sobre a "democracia pura".

Não foi em vão que Rosa Luxemburgo disse, em 4 de agosto de 1914, que a social-democracia alemã passou a ser um *cadáver fétido*.

Terceiro subterfúgio. "Se falamos em ditadura como forma de governo, não podemos falar de ditadura de uma classe. Isso porque uma classe, como já notamos, pode apenas dominar, mas não governar...". São as "organizações" ou os "partidos" que governam.

Você confunde, confunde descaradamente, sr. "conselheiro da confusão"! A ditadura não é uma "forma de governo", isso é um absurdo ridículo. E Marx não fala de "forma de governo", mas de forma ou tipo de *Estado*. Isso é absolutamente outra coisa, absolutamente outra coisa. É também completamente incorreto que uma *classe* não pode governar: tal absurdo só pode ser dito por um "cretino parlamentar", que nada vê além do Parlamento burguês, que nada nota além dos "partidos governantes". Qualquer país europeu demonstra a Kautsky exemplos de governo de uma *classe* dominante, por exemplo, os latifundiários na Idade Média, apesar de sua insuficiente organização.

Em resumo: Kautsky deturpou da forma mais inaudita o conceito de ditadura do proletariado ao transformar Marx em um liberal medíocre, ou seja, desceu ele próprio ao nível do liberal que lança frases vulgares acerca da "democracia pura", escondendo e esbatendo o conteúdo de classe da democracia *burguesa*, esquivando-se, acima de tudo, à *violência revolucionária* por parte da classe oprimida. Quando Kautsky "interpretou" o conceito de "ditadura revolucionária do proletariado" de modo a fazer desaparecer a violência revolucionária por parte da classe oprimida contra os opressores, na prática, bateu o recorde mundial da deformação liberal de Marx. O renegado Bernstein não passa de um fedelho em comparação com o renegado Kautsky.

[24] Ver Karl Marx e Friedrich Engels, "Prefácio à edição alemã de 1872", em *Manifesto Comunista* (trad. Álvaro Pina, São Paulo, Boitempo, 2010), p. 71-2. (N. E.)

DEMOCRACIA BURGUESA E DEMOCRACIA PROLETÁRIA

A questão, vergonhosamente confundida por Kautsky, apresenta-se, na verdade, da seguinte maneira.

A menos que se queira zombar do bom senso e da história, não se pode falar em "democracia pura"; enquanto existirem *classes* diferentes, só se pode falar em democracia *de classes*. (Entre parênteses, digamos que "democracia pura" é não apenas uma expressão *de ignorante*, que se arma da incompreensão do que é a luta de classes, assim como da existência de um Estado, mas é também uma expressão vazia, pois, na sociedade comunista, a democracia, renascendo e se tornando um hábito, vai *definhar e morrer*, mas nunca será uma democracia "pura").

"Democracia pura" é uma expressão vazia de liberal para enganar os operários. A história conhece a democracia burguesa, que vem para substituir o feudalismo, e a democracia proletária, que vem para substituir a burguesa.

Se Kautsky dedica dezenas de páginas à "demonstração" de tal verdade, de que a democracia burguesa é progressista em comparação com a Idade Média e de que dela deve, obrigatoriamente, se utilizar o proletariado em sua luta contra a burguesia, é porque se trata de conversa-fiada liberal para enganar os trabalhadores. Não apenas na culta Alemanha, como, ainda, na inculta Rússia, trata-se de um truísmo. Kautsky simplesmente lança areia "sábia" nos olhos dos trabalhadores, contando com ares de importância tanto de Weitling quanto dos jesuítas no Paraguai, bem como de muitas outras coisas, *para desviar* a existência da democracia *burguesa*, ou seja, *capitalista*.

Kautsky toma do marxismo tudo aquilo que é conveniente para os liberais, para a burguesia (a crítica à Idade Média, o papel histórico progressista do capitalismo em geral e da democracia capitalista em particular), e descarta, omite, apaga do marxismo o que é *inconveniente* para a burguesia (a violência revolucionária do proletariado contra a burguesia para extingui-la). É por isso que Kautsky se revela inevitavelmente, por força de sua posição objetiva e seja qual for sua convicção subjetiva, um lacaio da burguesia.

A democracia burguesa, por mais que seja um grandioso progresso histórico em comparação com a Idade Média, permanecerá sempre – e sob o capitalismo não deixa de permanecer – estreita, amputada, falsa, hipócrita, um paraíso para os ricos, uma armadilha e uma fraude para os explorados, para os pobres. É essa a verdade, parte constituinte da composição essencial da doutrina marxista, que o "marxista" Kautsky não entendeu. É nessa questão – fundamental – que Kautsky apresenta "amabilidades" à burguesia, em vez de uma crítica científica das condições que fazem de qualquer democracia burguesa uma democracia para os ricos.

Comecemos lembrando ao douto sr. Kautsky as afirmações teóricas de Marx e Engels, das quais nosso enciclopédico vergonhosamente "se esqueceu" (em favor da burguesia), e depois passemos ao caso de maneira mais popular.

Não apenas o Estado antigo e feudal, mas também o "Estado representativo moderno, é o instrumento de espoliação do trabalho assalariado pelo capital" (Engels em sua obra sobre o Estado)[25]. "Não sendo o Estado mais do que uma instituição transitória, da qual alguém se serve na luta, na revolução, para submeter violentamente seus adversários, então é puro absurdo falar de um Estado popular livre: enquanto o proletariado ainda *faz uso do* Estado, ele o usa não no interesse da liberdade, mas para submeter seus adversários e, a partir do momento em que se pode falar em liberdade, o Estado deixa de existir como tal"[26]. "O Estado não é mais do que uma máquina para a opressão de uma classe por outra, e isso vale para a república democrática não menos que para a monarquia" (Engels no prefácio ao *A guerra civil* de Marx)[27]. O sufrágio universal é "o termômetro da maturidade da classe trabalhadora. *Mais do que isso ele não pode ser, nem jamais será, no Estado atual*" (Engels em sua obra sobre o Estado[28]. O sr. Kautsky mastiga de maneira extraordinariamente entediante a primeira parte de sua posição, que é conveniente para a burguesia. Já sobre a segunda, que assinalamos e que para a burguesia

[25] Ver Friedrich Engels, *A origem da família, da propriedade privada e do Estado* (trad. Nélio Schneider, São Paulo, Boitempo, 2019), p. 158. (N. E.)

[26] Ver "Carta de Friedrich Engels a August Bebel, 18/28 mar. 1875", em Karl Marx, *Crítica do Programa de Gotha*, cit., p. 56. (N. E.)

[27] Idem, "Introdução à *Guerra civil na França*, de Karl Marx (1891)", em Karl Marx, *A guerra civil na França*, cit., p. 197. (N. E.)

[28] Idem, *A origem da família, da propriedade privada e do Estado*, cit., p. 159. Os destaques são de Lênin. (N. E.)

não é conveniente, o renegado Kautsky se cala!). "A Comuna devia ser não um corpo parlamentar, mas um órgão de trabalho, Executivo e Legislativo ao mesmo tempo. [...] Em lugar de escolher uma vez a cada três ou seis anos quais os membros da classe dominante que irão atraiçoar [*misrepresent*] o povo no Parlamento, o sufrágio universal serviria ao povo, constituído em comunas, do mesmo modo que o sufrágio individual serve ao empregador na escolha de operários e administradores para seu negócio." (Marx em sua obra sobre a Comuna de Paris *A guerra civil na França*)[29].

Cada uma dessas posições, perfeitamente conhecidas pelo douto sr. Kautsky, representa-lhe uma bofetada, denuncia toda a sua renegação. Em toda a brochura de Kautsky não há sequer uma gota dessas verdades. Todo o conteúdo de sua brochura é um escárnio do marxismo!

Peguem as leis fundamentais dos Estados contemporâneos, peguem a gestão delas, peguem a liberdade de associação ou de imprensa, peguem "a igualdade dos cidadãos perante as leis" - e verão a cada passo a hipocrisia da democracia burguesa, bem familiar a qualquer trabalhador honesto e consciente. Não há nenhum Estado, nem mesmo o mais democrático, onde não haja brechas e cláusulas em suas constituições, que não assegurem a possibilidade de a burguesia mover suas tropas contra os trabalhadores, entrar em estado de guerra, e assim por diante, "em caso de violação da ordem" - na verdade, em caso de "violação" pelas classes exploradas de sua condição escrava e a tentativa de não se portar feito escrava. Kautsky embeleza descaradamente a democracia burguesa, calando-se, por exemplo, sobre o que fazem as burguesias mais democráticas e republicanas na América e na Suíça contra os operários grevistas.

Ó, o sapiente e douto Kautsky não diz nada sobre isso! Ele não entende, esse douto dirigente político, que não dizer nada sobre isso é uma canalhice. Prefere contar aos operários o conto de fadas infantil de que a democracia significa "proteção da minoria". É inacreditável, mas é um fato! No verão de 1918 do nascimento de Cristo, no quinto ano da carnificina imperialista mundial e do sufocamento dos internacionalistas (ou seja, não os vis

[29] Ver Karl Marx, *A guerra civil na França*, cit., p. 57-8. (N. E.)

traidores do socialismo, como os Renaudel e Longuet, como os Scheidemann e Kautsky, como os Henderson e os Webb, e assim por diante) das minorias de todas as democracias do mundo, o douto sr. Kautsky canta com voz melíflua a "proteção das minorias". Quem desejar pode lê-lo na página 15 da brochura dele. E na página 16 o nosso douto... o sujeito vai lhe contar sobre os *whigs* e os *tories* da Inglaterra do século XVIII!

Ó, a erudição! Ó, refinada lacaice diante da burguesia! Ó, maneira civilizada de rastejar de barriga diante dos capitalistas e lamber-lhes as botas! Se eu fosse Krupp, Scheidemann, Clemenceau ou Renaudel, eu pagaria milhões ao sr. Kautsky, eu o recompensaria com um beijo de Judas, enalteceria-no diante dos operários, recomendaria a "unidade do socialismo" com pessoas tão "respeitáveis" como Kautsky. Escrever uma brochura contra a ditadura do proletariado, contar sobre *whigs* e *tories* da Inglaterra do século XVIII, afirmar que a democracia significa "proteção da minoria" e se calar sobre os *pogroms* contra os internacionalistas na república "democrática" da América não seria um serviço de lacaio à burguesia?

O douto sr. Kautsky "esqueceu" – provavelmente, esqueceu por acaso... – uma "ninharia"; a saber, que um partido dominante da democracia burguesa dá proteção à minoria de outro partido *burguês*, já o proletariado em qualquer questão *séria, profunda, fundamental*, em vez de "proteção à minoria" recebe o estado de guerra ou os *pogroms*. *Quanto mais desenvolvida uma democracia, tanto mais perto chegam, em quaisquer divergências políticas profundas que representem perigo à burguesia, do* pogrom *e da guerra civil.* Essa "lei" da democracia burguesa o douto sr. Kautsky pode observar no caso Dreifus na república da França, no linchamento dos negros e dos internacionalistas na república democrática da América, no exemplo, da Irlanda e de Ulster na democrática Inglaterra, na perseguição aos bolcheviques e à organização de *pogroms* na república democrática da Rússia. Propositadamente, pego exemplos não apenas de tempos de guerra, mas também de tempos antes da guerra, de tempos de paz. Ao doce sr. Kautsky é conveniente fechar os olhos a esses fatos do século XX e, em vez disso, contar aos trabalhadores coisas supreendentemente novas, notavelmente interessantes, extraordinariamente instrutivas, incrivelmente importantes acerca dos *whigs* e dos *tories* do século XVIII.

Peguem o parlamento burguês. Seria possível admitir que o douto Kautsky nunca tenha ouvido que *quanto mais solidamente* é desenvolvida uma democracia, *mais* a Bolsa e os banqueiros submetem os parlamentos burgueses? Disso não decorre que não se possa utilizar o parlamentarismo burguês (e os bolcheviques utilizaram-no com tal sucesso como dificilmente o fez outro partido no mundo, já que, em 1912-1914, ganhou toda a cúria de trabalhadores na Quarta Duma). No entanto, disso decorre que apenas um liberal pode esquecer *as limitações e as condicionalidades históricas* do parlamentarismo burguês, como disso se esquece Kautsky. Em cada passo, no Estado burguês mais democrático, as massas oprimidas se deparam com a contradição escandalosa entre a igualdade *formal* e as limitações e as manobras *factuais* que fazem dos proletários *escravos assalariados*. É justamente essa contradição que os agitadores e os propagandistas do socialismo desmascaram paulatinamente diante das massas, *a fim de prepará-las* para a revolução! E, quando *se iniciou* a era das revoluções, então Kautsky lhe deu as costas e se pôs a cantar os louvores da democracia burguesa *moribunda*.

A democracia proletária, uma das formas das quais se constitui o poder dos sovietes, conferiu um desenvolvimento e uma ampliação da democracia nunca vistos no mundo precisamente à gigantesca maioria da população, aos explorados e aos trabalhadores. Escrever um livro inteiro sobre a democracia, como Kautsky fez, falando em duas paginazinhas sobre ditadura e em dezenas de páginas sobre "democracia pura" e *não notar* isso é deturpar a coisa por completo à maneira de um liberal.

Peguem a política externa. Em nenhum país do mundo, nem no mais democrático, é feita de maneira aberta. Em toda parte, o engano das massas, na França, na Suíça, nos Estados Unidos e na Inglaterra democráticos, é cem vezes maior e mais refinado que em outros países. O poder dos sovietes arrancou de modo revolucionário o véu secreto da política externa. Kautsky não notou; sobre isso, ele se cala, ainda que na época das guerras de rapina e dos acordos secretos sobre a "divisão das esferas de influência" (ou seja, sobre a divisão do mundo pelos bandidos capitalistas) isso tenha um significado *capital*, pois disso depende a questão da paz, a questão da vida e da morte de milhões de pessoas.

Peguem a estrutura do Estado. Kautsky se apega a "ninharias", até ao fato de que as eleições são "indiretas" (na Constituição soviética), mas a substância da coisa ele não vê. A essência *de classe* do aparato do Estado, a máquina do Estado, ele não nota. Na democracia burguesa, os capitalistas, com seus milhares de truques – tanto mais engenhosos e verdadeiramente atuantes quanto mais desenvolvida é a democracia "pura" –, afastam as massas da participação na direção, da liberdade de associação e de imprensa etc. O poder dos sovietes é o *primeiro* no mundo (a rigor, o segundo, pois de início a Comuna de Paris fez o mesmo) que *atrai* as massas, justamente as massas de *explorados*, para a direção. A participação no parlamento burguês (que *nunca decide* as questões mais sérias da democracia burguesa: decidem-lhe a Bolsa e os bancos) encontra-se interditada às massas de trabalhadores por milhares de barreiras, e os operários, de maneira esplêndida, sabem e sentem, veem e tateiam, que o parlamento burguês é uma instituição *alheia*, uma *instrumento de opressão* dos proletariados pela burguesia, a instituição de uma classe hostil, de uma minoria de exploradores.

Os sovietes constituem a organização direta dos próprios trabalhadores e das massas exploradas, que lhes *facilita* a possibilidade de eles próprios construírem o Estado e dirigi-lo de todas as maneiras e tão logo seja possível. É justamente a vanguarda dos trabalhadores e explorados, o proletariado urbano, que está com a vantagem, uma vez que está mais conectada pelas grandes empresas; para ele, é muito mais fácil eleger e controlar os eleitos. Automaticamente, a organização em sovietes *facilita* a união de todos os trabalhadores e explorados em torno de sua vanguarda, o proletariado. O velho aparato burguês – o funcionalismo, o privilégio da riqueza, a formação burguesa, as relações, e assim por diante (esses privilégios factuais são tanto mais variados quanto mais desenvolvida é a democracia burguesa), tudo isso desmorona com a organização em sovietes. A liberdade de imprensa deixa de ser uma hipocrisia, pois se expropriam da burguesia as tipografias e o papel. O mesmo se dá com os prédios, os palacetes, as casas senhoriais. O poder dos sovietes arrancou dos exploradores, de uma vez, muitos e muitos milhares desses melhores edifícios e, dessa maneira, tornou o direito de reunião das massas *um milhão de vezes mais* "democrático" – um direito de associação sem o qual a democracia é um engano. As eleições indiretas aos sovietes não locais facilitam os congressos de sovietes, fazem de *todo* o aparelho mais barato, mais ágil, mais acessível aos operários e aos camponeses em um período em que a vida ferve e demanda especial rapidez em ter a possibilidade de revogar seu deputado local ou enviá-lo a um Congresso Geral dos Sovietes.

A democracia proletária é *um milhão de vezes* mais democrática que qualquer democracia burguesa; o poder dos sovietes é um milhão de vezes mais democrático que a mais democrática república burguesa.

Apenas pode não notar isso um acólito consciente da burguesia, ou alguém morto politicamente, que não vê a vida por trás dos livros burgueses empoeirados, impregnados de preconceitos democrático-burgueses, e que, assim, transforma-se objetivamente em lacaio da burguesia.

Apenas pode não notar isso uma pessoa incapaz de *colocar a questão* do ponto de vista das classes *oprimidas*: existirá algum país no mundo, entre os países burgueses mais democráticos, em que o operário *médio*, *das massas*, o *lavrador* médio, das massas, ou o semiproletário do campo em geral (ou seja, um representante da massa oprimida, da imensa maioria da população) disponha, ainda que aproximadamente, daquela *liberdade* de organizar reuniões nos melhores edifícios, daquela *liberdade* de ter, para a expressão de suas próprias ideias e a salvaguarda de seus próprios interesses, as maiores tipografias e as melhores reservas de papel, daquela *liberdade* de designar precisamente pessoas de sua própria classe para a direção do Estado e para a "organização" do Estado, como na Rússia soviética?

É engraçado até pensar que o sr. Kautsky encontraria em qualquer outro país, ainda que em um entre milhares, operários e lavradores conscientes que não duvidassem da resposta a essa pergunta. Instintivamente, ao ouvir retalhos de admissão da verdade por parte dos jornais burgueses, os trabalhadores de todo o mundo simpatizam com a República Soviética justamente porque veem nela a democracia *proletária, a democracia para os pobres*, não a democracia para os ricos, que é o que ocorre, na prática, em qualquer democracia burguesa, mesmo na melhor.

Dirigem-nos (e nosso Estado "dirige") o funcionalismo burguês, os parlamentares burgueses, os tribunais burgueses. Eis a verdade simples, evidente, indiscutível que conhecem pela própria experiência de vida, que sentem e tateiam diariamente dezenas e centenas de milhares de pessoas das classes oprimidas de todos os países burgueses do mundo, incluindo-se aí os mais democráticos.

Contudo, na Rússia, nós destruímos o aparato do funcionalismo, não restou pedra sobre pedra, expulsamos todos os velhos juízes, dissolvemos o parlamento burguês – e demos uma representação *muito mais acessível* justamente aos operários e aos camponeses, os sovietes *deles* substituíram o funcionalismo, ou os sovietes *deles* se colocaram acima do funcionalismo, os sovietes *deles* tornaram os juízes elegíveis. Um único fato como esse basta para que todas as classes oprimidas reconheçam o poder dos sovietes, ou seja, em sua dada forma de ditadura do proletariado, um milhão de vezes mais democrática que a república burguesa mais democrática.

É essa a verdade que Kautsky não entende, que é compreensível e evidente a qualquer operário, pois ele "esqueceu" como, ele "desaprendeu" a fazer a pergunta: democracia *para qual classe*? Ele raciocina a partir do ponto de vista da "pura" (ou seja: sem classe? Ou extraclasse?) democracia. Ele argumenta feito Shylock[30]: "uma libra de carne" e mais nada. Igualdade entre todos os cidadãos – do contrário, não existe democracia.

É preciso colocar ao douto Kautsky, ao "marxista" e "socialista" Kautsky, a seguinte questão: pode existir igualdade entre o explorado e o explorador?

É monstruoso, é inacreditável que seja preciso colocar tal questão em debate sobre o livro do líder ideológico da Segunda Internacional. Porém, "se está na chuva, é para se molhar"[31]. Pus-me a escrever a Kautsky a fim de explicar ao douto homem por que não pode existir igualdade entre exploradores e explorados.

[30] Personagem da peça *O mercador de Veneza*, de William Shakespeare [ed. bras.: trad. Beatriz Viégas-Faria, Porto Alegre, L&PM, 2007]; um agiota que exigia como fiança uma libra da carne do próprio corpo do devedor. (N. E.)

[31] No original, "взялся за гуж, не говори, что не дюж"; provérbio russo cuja tradução literal aproximada equivale à seguinte frase: "Se apertou o cinto, não diga que não tem força", e cujo significado figurativo, modernamente, equivale à frase "Se você se dispôs a fazer algo, faça até o fim". (N. E.)

PODE EXISTIR IGUALDADE ENTRE O EXPLORADO E O EXPLORADOR?

Kautsky discorre da seguinte maneira:

1) "Os exploradores sempre constituíram apenas uma pequena minoria da população." (p. 14 do livro de Kautsky)

Isso é uma verdade indiscutível. Como se deve pensar a partir dessa verdade? É possível pensar como marxista, como socialista; então é preciso tomar por base a relação entre explorados e exploradores. É possível pensar como liberal, como um democrata burguês; então é preciso tomar por base a relação entre a maioria e a minoria.

Caso se pense como marxista, é preciso dizer que: os exploradores, inevitavelmente, transformam o Estado (e trata-se da democracia, ou seja, de uma das formas do Estado) em instrumento de domínio de sua classe, dos exploradores sobre os explorados. Por isso também o Estado democrático, enquanto houver exploradores que dominem sobre uma maioria de explorados, será inevitavelmente uma democracia para os exploradores. O Estado dos explorados deve se distinguir de modo radical desse Estado, deve ser a democracia para os explorados e a *repressão dos exploradores*, e a repressão de uma classe significa a desigualdade dessa classe, sua exclusão da "democracia".

Caso se pense como liberal, é preciso dizer que: a maioria decide, a minoria se submete. Os insubmissos são castigados. E isso é tudo. Sobre o caráter de classe do Estado em geral e sobre a "democracia pura" em particular, não há o que discorrer; isso não tem nada a ver com a questão, pois a maioria é a maioria, e a minoria é a minoria. Uma libra de carne é uma libra de carne, e basta.

Kautsky discorre precisamente assim:

2) "Por quais motivos o domínio do proletariado deveria tomar, e tomar imprescindivelmente, uma forma que é incompatível com a democracia?" (p. 21). Na sequência, vem a explicação de por que o proletariado tem a seu lado a maioria, uma explicação bastante detalhada e bastante prolixa, com uma citação de Marx e com os números dos votos na Comuna de Paris. Conclusão: "Um regime tão fortemente enraizado nas massas não tem o

menor motivo para atentar contra a democracia. Nem sempre poderá evitar a violência nos casos em que a violência for empregada para reprimir a democracia. À violência só se pode responder com a violência. Mas um regime que sabe que tem as massas com ele só usará a violência para *conservar* a democracia, não para extingui-la. Cometeria um verdadeiro suicídio se quisesse eliminar sua base mais segura, o sufrágio universal, fonte profunda de uma poderosa autoridade moral" (p. 22).

Vejam: a relação entre explorados e exploradores desapareceu da argumentação de Kautsky. Não resta mais que a maioria em geral, a minoria em geral, a democracia em geral, a nossa já conhecida "democracia pura".

Notem que se diz isso *em relação à Comuna de Paris*! Para maior evidência, vejamos o que diziam Marx e Engels da ditadura *em relação à Comuna*:

Marx: "... Se, em vez da ditadura da burguesia, os operários colocam sua ditadura revolucionária [...] a fim de quebrar a resistência da burguesia [...], eles darão ao Estado uma forma revolucionária e transitória..."[32].

Engels: "... O partido vitorioso" (na revolução), "se não quer ter combatido em vão, deve continuar esse domínio com o terror que suas armas inspiram aos reacionários. Teria a Comuna de Paris durado um só dia, se não tivesse se servido dessa autoridade de povo armado face aos burgueses? Não deveríamos condenar, ao contrário, que a Comuna não tenha se servido bastante largamente dela?"[33].

Ainda ele: "Não sendo o Estado mais do que uma instituição transitória, da qual alguém se serve na luta, na revolução, para submeter violentamente seus adversários, então é puro absurdo falar de um Estado popular livre: enquanto o proletariado ainda *faz uso do* Estado, ele o usa não no interesse da liberdade, mas para submeter seus adversários e, a partir do momento em que se pode falar em liberdade, o Estado deixa de existir como tal"[34].

[32] Karl Marx, "Sobre a indiferença política", em Karl Marx e Friedrich Engels, *Obras completas*, v. 18 (2. ed., Moscou, Izdátchelstvo Polititcheskoi Literatury, 1961), p. 297. (N. E.)

[33] Friedrich Engels, "Sobre a autoridade", em Karl Marx e Friedrich Engels, *Obras escolhidas em três tomos*, v. 2, cit., p. 410. (N. E.)

[34] Ver "Carta de Friedrich Engels a August Bebel, 18/28 mar. 1875", em Karl Marx, *Crítica do Programa de Gotha*, cit., p. 56. (N. E.)

Entre Kautsky e Marx e Engels há uma distância tal qual a que existe entre o céu a terra e entre um liberal e um revolucionário proletário. A democracia pura e a "democracia" simplesmente de que fala Kautsky é apenas uma reprodução daquele mesmo "Estado popular livre", ou seja, *puro absurdo*. Kautsky, com a sapiência de um doutíssimo imbecil de gabinete ou com a candura de uma menina de dez anos, pergunta: por que se precisa de ditadura se temos a maioria? E Marx e Engels explicam:

- para que se quebre a resistência da burguesia;
- para que se inspire terror aos reacionários;
- para que se mantenha a autoridade de povo armado face aos burgueses;
- para que o proletariado possa submeter pela violência seus adversários.

Essas explicações Kautsky não entende. Apaixonado pela "pureza" da democracia, não vendo seu caráter burguês, sustenta "consequentemente" que a maioria, uma vez que é maioria, não tem necessidade de "quebrar a resistência" da minoria, não tem necessidade de a "reprimir pela força" – basta reprimir *os casos* de violação da democracia. Apaixonado pela "pureza" da democracia, Kautsky incorre *por acaso* nesse pequeno erro que sempre cometem todos os democratas burgueses; a saber, aceita a igualdade formal (que é completamente mentirosa e hipócrita no capitalismo) por igualdade de fato! Uma ninharia!

O explorador não pode ser igual ao explorado.

Essa verdade, por mais desagradável que seja para Kautsky, é o conteúdo mais essencial do socialismo.

Outra verdade: uma igualdade factual, real, não poderá existir enquanto não estiver totalmente suprimida qualquer possibilidade de exploração de uma classe por outra.

É possível derrotar de vez os exploradores por meio de uma insurreição bem-sucedida no centro ou uma rebelião das tropas. No entanto, excluindo-se casos muito raros e especiais, é impossível extinguir, de vez, os exploradores. É impossível expropriar de vez todos os latifundiários e todos os capitalistas de qualquer país grande. Além disso, uma expropriação, como ato jurídico ou político, está muito longe de resolver a questão, pois é necessário *desalojar* factualmente os latifundiários e os capitalistas, *substituir* factualmente sua administração das fábricas e das propriedades agrícolas por outra administração, operária. Não pode existir igualdade entre exploradores que, no decorrer de gerações e gerações, distinguiram-se tanto pela instrução quanto pelas condições de uma vida rica e pelos hábitos, e os explorados, cuja massa, mesmo nas repúblicas burguesas mais avançadas e democráticas, é embrutecida, inculta, ignorante, assustada e dividida. Ainda durante muito tempo depois da revolução, os exploradores conservam inevitavelmente uma série de enormes vantagens factuais: mantêm o dinheiro (é impossível extinguir o dinheiro de uma vez), certos bens móveis, muitas vezes significativos, conservam as relações, os hábitos de organização e de administração, o conhecimento de todos os "segredos" (costumes, processos, meios, possibilidades) da administração, conservam uma instrução mais elevada, a proximidade com o pessoal técnico superior (que vive e pensa à maneira burguesa), conservam (e isto é muito importante) uma experiência infinitamente superior na arte militar, e assim por diante.

Se os exploradores são derrotados em único país – e este é, naturalmente, um caso típico, pois a revolução concomitante em uma série de países constitui rara exceção –, continuarão a ser, *no entanto, mais fortes* que os explorados, pois as relações internacionais dos exploradores são imensas. Que uma parte dos explorados, da massa menos desenvolvida de camponeses médios, artesãos etc., segue e é suscetível de seguir os exploradores, isso até agora *todas* as revoluções provam, incluindo a Comuna (porque entre as tropas de Versalhes havia também proletários, coisa que o doutíssimo Kautsky "esqueceu").

Em tal estado de coisas, supor que numa revolução de algum modo profunda e séria a questão se resolva pura e simplesmente a partir da relação entre a maioria e a minoria é uma enorme estupidez, é o mais tolo preconceito de um liberal vulgar, é *enganar as massas*, esconder-lhes uma verdade histórica manifesta. Essa verdade histórica consiste em que, em qualquer revolução profunda, a *regra* é que os exploradores, que durante uma série de anos conservam sobre os explorados grandes vantagens factuais, opõem uma resistência *prolongada, obstinada e desesperada*. Nunca – a não ser na doce fantasia do doce tolinho Kautsky – os exploradores se submetem à decisão da maioria dos explorados antes de terem posto à prova sua superioridade numa desesperada batalha final, numa série de batalhas.

A transição do capitalismo para o comunismo constitui uma época histórica inteira. Enquanto não estiver terminada, os exploradores mantêm a esperança da restauração, e essa *esperança* se transforma em *tentativas* de restauração. E, depois da primeira derrota séria, os exploradores caídos, que não esperavam sua queda, não acreditavam nela, sequer admitiam sua ideia, lançam-se com renovada energia, com uma paixão furiosa, com um ódio cem vezes maior na luta pela volta do "paraíso" que lhes foi tomado, por suas famílias que viviam tão docemente e a quem o "vil populacho" condena à ruína e à miséria (ou ao "simples" trabalho...). E atrás dos capitalistas exploradores se arrasta uma massa ampla da pequena burguesia, que, como mostra a experiência histórica de dezenas de anos de todos os países, oscila e vacila, que hoje segue o proletariado e amanhã se assusta com as dificuldades da revolução, cai no pânico à primeira derrota ou semiderrota dos operários, enerva-se, agita-se, choraminga, vai de um campo a outro... como nossos mencheviques e SRs.

E, em tal estado de coisas, numa época de guerra desesperada, aguçada, quando a história coloca na ordem do dia as questões da existência ou da não existência cotidiana dos privilégios seculares e milenares, falar de maioria e minoria, de democracia pura, de que não é necessária a ditadura, de igualdade entre exploradores e explorados!!! Que poço de estupidez, que abismo de filistinismo é necessário para isso!

No entanto, décadas de um capitalismo relativamente "pacífico", de 1871 a 1914, fizeram acumular nos partidos socialistas adaptados ao oportunismo estábulos de Aúgias de filistinismo, da estreiteza e da renegação...

* * *

O leitor provavelmente notou que Kautsky, na já citada passagem de seu livro, fala de atentado contra o sufrágio universal (que qualifica – diga-se entre parênteses – de fonte profunda de poderosa autoridade moral, enquanto Engels, a propósito da mesma Comuna de Paris e a propósito da mesma questão da ditadura, fala da autoridade do povo armado contra a burguesia;

é característico comparar a concepção de um filisteu e de um revolucionário sobre a "autoridade"...).

É preciso notar que a questão da privação dos exploradores do direito de voto é uma questão *puramente russa*, não uma questão da ditadura do proletariado em geral. Se Kautsky tivesse, sem hipocrisia, intitulado sua brochura *Contra os bolcheviques*, o título corresponderia ao conteúdo, e o autor teria, então, o direito de falar francamente do direito de voto. Mas Kautsky quis intervir, antes de mais nada, como "teórico". Intitulou sua brochura *A ditadura do proletariado em geral*. Fala dos sovietes e da Rússia em particular apenas na segunda parte da brochura, a partir do sexto parágrafo. Já na primeira parte (da qual retirei a passagem citada), trata da *democracia* e *da ditadura em geral*. Ao falar do direito de voto, Kautsky *se traiu* como polemista contra os bolcheviques *sem dar a mínima importância* à teoria. Pois a teoria, ou seja, o estudo dos fundamentos gerais (e não especificamente nacionais) de classe da democracia e da ditadura, deve falar não de uma questão particular como o direito de voto, mas de uma questão geral: poderia a democracia ser *conservada também para os ricos, também para os exploradores*, no período histórico da derrubada dos exploradores e da substituição de seu Estado pelo Estado dos explorados?

É assim, e só assim, que um teórico pode colocar a questão.

Conhecemos o exemplo da Comuna, conhecemos todos os raciocínios dos fundadores do marxismo em relação a ela e a propósito dela. Na base desse material, analisei, por exemplo, o tema da democracia e da ditadura em minha brochura *O Estado e a revolução*, escrita antes da Revolução de Outubro. Sobre a limitação do direito de voto *eu não disse palavra*. E agora é preciso afirmar que a questão da limitação do direito de voto é uma questão especificamente nacional, não uma questão geral da ditadura. A questão da limitação do direito de voto deve ser abordada por meio de um estudo das *condições particulares* da Revolução Russa, da *via particular* de seu desenvolvimento. Adiante na exposição isso também será feito. Contudo, seria um erro assegurar antecipadamente que as futuras revoluções proletárias da Europa, todas ou a maioria, implicarão a limitação do direito de voto para a burguesia. Pode se dar assim. Depois da guerra e depois da experiência da Revolução Russa, é provável que assim se dê, mas *não é obrigatório* para o exercício da ditadura, não constitui um traço *necessário* do conceito lógico de ditadura, não entra como condição *necessária* do conceito histórico e de classe de ditadura.

O que é um traço necessário, uma condição obrigatória da ditadura, é a repressão *violenta* dos exploradores como *classe* e, por conseguinte, a *violação* da "democracia pura", ou seja, da igualdade e da liberdade *em relação* a essa *classe*.

Assim, e só assim, pode ser colocada teoricamente a questão. E Kautsky, uma vez que não coloca dessa maneira a questão, demonstra que atua contra os bolcheviques não como teórico, mas como capacho dos oportunistas e da burguesia.

Em que países, em que condições específicas nacionais de um ou outro capitalismo, será aplicada (exclusiva ou predominantemente) uma ou outra limitação, violação da democracia para os exploradores, é algo que depende das condições específicas nacionais de um ou outro capitalismo, de uma ou outra revolução. Teoricamente, a questão se coloca de outro modo: é possível a ditadura do proletariado *sem violação da democracia* em relação à classe dos *exploradores*?

Kautsky contornou precisamente essa questão, a única importante e essencial do ponto de vista teórico. Kautsky cita todo o tipo de passagens de Marx e Engels, *exceto aquelas* que se referem a essa questão e que citei acima.

Kautsky fala de tudo o que queiram, de tudo o que é aceitável para os liberais e os democratas burgueses, de tudo o que não sai de seu círculo de ideias – exceto do principal, exceto de que o proletariado não pode vencer *sem quebrar a resistência* da burguesia, *sem reprimir pela violência seus adversários*, e onde há "repressão violenta", onde não há "liberdade", *naturalmente não há democracia.*

E isso Kautsky não entendeu.

* * *

Passemos à experiência da Revolução Russa e à divergência entre os sovietes de deputados e a Assembleia Constituinte, divergência que levou à dissolução da Constituinte e à privação da burguesia do direito de voto.

QUE OS SOVIETES NÃO OUSEM SE TRANSFORMAR EM ORGANIZAÇÕES DO ESTADO

Os sovietes são a forma russa da ditadura proletária. Se o teórico marxista que escreve um trabalho sobre a ditadura do proletariado tivesse estudado de fato esse fenômeno (em vez de repetir as lamentações pequeno-burguesas contra a ditadura, como faz Kautsky, entoando as melodias mencheviques), tal teórico daria uma definição geral de ditadura e depois examinaria sua forma particular, nacional, os sovietes, fazendo a crítica deles como uma das formas da ditadura do proletariado.

Compreende-se que de Kautsky, depois de sua "adaptação" liberal da doutrina de Marx sobre a ditadura, não se pode esperar nada sério. Ainda assim, é extremamente característico notar como ele aborda a questão do que são os sovietes e como resolve essa questão.

Os sovietes, escreve ele, recordando seu aparecimento em 1905, criaram "uma forma de organização proletária que era a mais ampla [*umfassendste*] de todas, porque compreendia todos os operários assalariados" (p. 31). Em 1905, eram apenas corporações locais; em 1917, transformaram-se numa organização de toda a Rússia. Continua Kautsky:

> Já agora a organização dos sovietes tem atrás de si uma história grande e gloriosa. E perante ela há ainda uma história mais poderosa, e não apenas na Rússia. Em toda a parte se verifica que os antigos métodos de luta política e econômica do proletariado são insuficientes [*versagen*; esta palavra alemã é um pouco mais forte que "insuficientes" e um pouco mais fraca que "impotentes"] contra as gigantescas forças de que dispõe o capital financeiro nos aspectos econômico e político. Não é possível renunciar a eles, continuam a ser necessários em tempos normais, mas de tempos em tempos lhes são colocadas tarefas cuja resolução não está em suas forças, tarefas em que o êxito só se consegue com a união de todos os instrumentos políticos e econômicos da força da classe operária. (p. 32)

Segue-se um raciocínio sobre a greve de massas e sobre o fato de que "a burocracia dos sindicatos", tão necessária quanto os sindicatos, "não é capaz de dirigir batalhas de massas tão poderosas que se tornam cada vez mais um sinal dos tempos...". Conclui Kautsky:

> ... Assim a organização dos sovietes é um dos fenômenos mais importantes de nosso tempo. Ela promete adquirir uma importância decisiva nas grandes batalhas decisivas entre o capital e o trabalho, para as quais nos dirigimos.
> Mas teremos o direito de exigir ainda mais aos sovietes? Os bolcheviques, que depois da Revolução de Novembro (segundo o novo estilo, ou seja, de outubro segundo o nosso estilo[35]) de 1917, juntamente com os socialistas-revolucionários de esquerda, obtiveram a maioria nos sovietes russos de deputados operários, depois da dissolução da Assembleia Constituinte transformaram o soviete, que até então tinha sido uma *organização de combate* de uma *classe*, numa *organização estatal*. Suprimiram a democracia, que o povo russo tinha conquistado na Revolução de Março (segundo o novo estilo, de fevereiro segundo o nosso estilo). Em consequência, os bolcheviques deixaram de chamar a si próprios sociais-*democratas*. Chamam-se *comunistas*. (p. 33, destaques de Kautsky)

Quem conhece a literatura menchevique russa verá imediatamente de que maneira servil Kautsky copia Mártov, Akselrod, Stein e cia. É precisamente "servil", pois Kautsky deforma até o ridículo os fatos em proveito dos preconceitos mencheviques. Ele, por exemplo, não se deu o trabalho de perguntar a seus informantes, do tipo Stein de Berlim e Akselrod de Estocolmo, *quando* foram levantadas as questões da mudança de nome dos bolcheviques para comunistas e do significado dos sovietes como organizações do Estado. Se Kautsky tivesse pedido essa simples informação, não teria escrito essas linhas que provocam riso, pois ambas as questões foram levantadas pelos bolcheviques *em abril de 1917*, por exemplo, em minhas "teses" de 4 de abril de 1917[36], isto é, *muito antes* da Revolução de Outubro de 1917 (isso para não falar da dissolução da Constituinte em 5 de janeiro de 1918).

Mas o raciocínio de Kautsky, que reproduzi inteiramente, é a *essência* de toda a questão dos sovietes. A essência está precisamente em saber se os

[35] Somente com a Revolução de Outubro de 1917 a Rússia adotou o calendário gregoriano. Antes, usava-se o calendário juliano, conforme orientação da Igreja ortodoxa. Assim, neste volume, sempre que houver uma data seguida de outra entre parênteses, a primeira corresponde à do calendário juliano (velho estilo) e a segunda, à do gregoriano (novo estilo). (N. E.)

[36] Ver Vladímir Ilitch Lênin, "Sobre as tarefas do proletariado na presente revolução", em Karl Marx e Friedrich Engels/Vladímir Ilitch Lênin, *Manifesto Comunista/Teses de abril* (trad. Álvaro Pina, Caco Ishak e Daniela Jinkings, São Paulo, Boitempo, 2017), p. 69-74. (N. E.)

sovietes devem aspirar a tornarem-se organizações do Estado (os bolcheviques lançaram em abril de 1917 a palavra de ordem "todo o poder aos sovietes", e na conferência do partido dos bolcheviques no mesmo abril de 1917 os bolcheviques declararam que não estavam satisfeitos com uma república parlamentar burguesa, mas que exigiam uma república operário-camponesa do tipo da Comuna ou do tipo dos sovietes) *ou* se os sovietes não devem aspirar a isso, não devem tomar o poder em suas mãos, não devem se tornar organizações do Estado, e sim devem continuar a ser "organizações de combate" de uma "classe" (como disse Mártov, embelezando com seu desejo inocente o fato de que, sob a direção menchevique, os sovietes eram mero *instrumento de subordinação dos operários à burguesia*).

Kautsky repetiu de maneira servil as palavras de Mártov, tomando *fragmentos* da discussão teórica dos bolcheviques com os mencheviques e transplantando esses fragmentos, sem crítica e sem sentido, para o terreno teórico geral, europeu geral. O resultado é um mingau que provocaria um riso homérico em todo operário russo consciente que tivesse conhecimento do citado raciocínio de Kautsky.

Todos os operários europeus (com exceção de um punhado de empedernidos sociais-imperialistas) receberão Kautsky com o mesmo riso quando lhes explicarmos do que se trata.

Levando ao absurdo, com extraordinária evidência, o erro de Mártov, Kautsky prestou a Mártov um desserviço. Com efeito, vejamos a que chegou Kautsky.

Os sovietes compreendem todos os operários assalariados. Contra o capital financeiro, os antigos métodos de luta política e econômica do proletariado são insuficientes. Os sovietes cumprem um grande papel não apenas na Rússia. Desempenharão um papel decisivo nas grandes batalhas decisivas entre o capital e o trabalho na Europa. Assim fala Kautsky.

Muito bem. As "batalhas decisivas entre o capital e o trabalho" não decidiriam a questão sobre qual dessas classes vai se apoderar do poder do Estado?

Nada disso. Deus nos livre.

Nas batalhas "decisivas", os sovietes, que abrangem todos os operários assalariados, *não devem se tornar organizações do Estado*!

Mas o que é o Estado?

O Estado não é outra coisa além de uma máquina para a opressão de uma classe por outra.

Assim, a classe oprimida, a vanguarda de todos os trabalhadores e explorados na sociedade contemporânea, deve aspirar às "batalhas decisivas entre o capital e o trabalho", *mas não deve tocar* na máquina por meio da qual o capital reprime o trabalho! – *Não deve quebrar* essa máquina! – *Não deve empregar* sua organização ampla *para reprimir os exploradores*!

Magnífico, admirável, sr. Kautsky! "Nós" reconhecemos a luta de classes como a reconhecem todos os liberais, ou seja, sem a derrubada da burguesia...

É aqui que se torna evidente a completa ruptura de Kautsky tanto com o marxismo quanto com o socialismo. Isso é, de fato, passar para o lado da burguesia, que está disposta a admitir tudo o que se queira, menos a transformação das organizações da classe que ela oprime em organizações do Estado. Aqui já não há maneira de Kautsky salvar sua posição, de conciliar tudo e eludir com frases todas as contradições profundas.

Ou Kautsky renuncia a qualquer passagem do poder de Estado para as mãos da classe operária, ou admite que a classe operária tome em suas mãos a velha máquina de Estado, burguesa, mas não admite de modo algum que a quebre e a destrua substituindo-a por uma nova, proletária. Que se "interprete" ou se "explique" de um ou de outro modo o raciocínio de Kautsky, em ambos os casos é evidente a ruptura com o marxismo e a passagem para o lado da burguesia.

Ainda no *Manifesto Comunista*, ao falar do Estado necessário à classe operária vitoriosa, Marx escrevia: "O Estado, isto é, o proletariado organizado como classe dominante"[37]. Agora se apresenta a pessoa que, com a pretensão de continuar a ser marxista, declara que o proletariado totalmente organizado e que conduz uma "luta decisiva" contra o capital *não deve* fazer de sua organização de classe uma organização do Estado. A "crença supersticiosa no Estado", que, como escreveu Engels em 1891, "na Alemanha" "transferiu-se [...] para a consciência geral da burguesia e, até mesmo, de

[37] Ver Karl Marx e Friedrich Engels, *Manifesto Comunista*, cit., p. 58. (N. E.)

muitos trabalhadores"[38] – eis o que Kautsky revelou aqui. Lutem, operários – "concorda" o nosso filisteu (com isso também "concorda" o burguês, uma vez que os operários lutarão de qualquer maneira e é preciso pensar apenas em como quebrar a ponta de sua espada) –, lutem, mas *não ousem vencer*! Não destruam a máquina de Estado da burguesia, não coloquem no lugar da "organização de Estado" burguesa a "organização de Estado" proletária!

Quem compartilha seriamente a concepção marxista de que o Estado não é nada além de uma máquina para a opressão de uma classe por outra, quem de vez em quando pondera sobre essa verdade, jamais poderia chegar a tal absurdo de que as organizações proletárias, capazes de vencer o capital financeiro, não devem se transformar em organizações do Estado. É precisamente nesse ponto que se expressa também o pequeno-burguês, para o qual o Estado é, "apesar de tudo", algo extraclasse ou supraclasse. Com efeito, por que seria permitido ao proletariado, "*uma só classe*", conduzir uma guerra decisiva contra o *capital*, que exerce sua dominação não só sobre o proletariado, mas sobre todo o povo, sobre toda a pequena burguesia, sobre todo o campesinato, mas não seria permitido ao proletariado, "*uma só classe*", transformar sua organização em estatal? Porque o pequeno-burguês *teme* a luta de classes e não a leva até o fim, *até o principal*.

Kautsky fez uma completa confusão, e sua máscara caiu. Notem: ele mesmo reconheceu que a Europa está indo ao encontro de batalhas decisivas entre o capital e o trabalho e que os antigos métodos de luta política e econômica do proletariado são insuficientes. Só que esses métodos consistiam, precisamente, em utilizar a democracia *burguesa*. A consequência...?

Kautsky teve receio de pensar no que daqui decorre.

... A consequência é que só um reacionário, um inimigo da classe operária, um criado da burguesia pode agora pintar os encantos da democracia burguesa e tagarelar sobre a democracia pura, voltando-se para um passado já caduco. A democracia burguesa *foi* progressiva em relação à Idade Média, e era preciso utilizá-la. Contudo, agora é *insuficiente* para a classe operária.

[38] Ver Friedrich Engels, "Introdução à *Guerra civil na França*, de Karl Marx (1891)", em Karl Marx, *A guerra civil na França*, cit., p. 196. (N. E.)

Agora é preciso olhar não para trás, mas para frente, para a substituição da democracia burguesa pela democracia *proletária*. E se o trabalho preparatório da revolução proletária, a educação e a formação do exército proletário foram possíveis (e necessários) *no quadro* do Estado democrático-burguês, limitar o proletariado nesse quadro uma vez que se chegou às "batalhas decisivas" é trair a causa proletária, é ser um renegado.

Kautsky caiu numa situação particularmente ridícula, pois repetiu o argumento de Mártov *sem notar* que em Mártov esse argumento se apoia em um *outro* argumento, que em Kautsky não existe! Mártov diz (e Kautsky depois dele repete) que a Rússia ainda não está madura para o socialismo, e disso resulta naturalmente que ainda é cedo para transformar os sovietes de órgãos de luta em organizações do Estado (leia-se: converter oportunamente os sovietes, com a ajuda dos líderes mencheviques, em órgãos de *subordinação* dos operários à burguesia imperialista). Ora, Kautsky *não pode* dizer diretamente que a Europa não está madura para o socialismo. Kautsky escreveu em 1909, quando ainda não era um renegado, que não se podia temer uma revolução *prematura*, que seria um traidor aquele que, por medo da derrota, renunciasse à revolução. Kautsky não se atreve a retratar-se disso *explicitamente*. E daí resulta um tal absurdo que desmascara inteiramente toda a estupidez e a covardia do pequeno-burguês: por um lado, a Europa está madura para o socialismo e caminha para as batalhas decisivas entre o trabalho e o capital; por outro lado, a *organização de combate* (ou seja, formada, crescida e fortalecida na luta), a organização do proletariado, de vanguarda e da classe organizadora, líder dos oprimidos, *não pode* transformar-se em uma organização do Estado!

* * *

No aspecto político prático, a ideia de que os sovietes são necessários como organização de combate, mas que não devem se transformar em organizações do Estado, é ainda infinitamente mais absurda que no aspecto teórico. Mesmo em tempos de paz, quando não existe uma situação revolucionária, a luta de massas dos operários contra os capitalistas, por exemplo a greve de massas, provoca em ambas as partes uma exasperação terrível, uma extraordinária paixão na luta, constantes referências da burguesia ao fato de que é e deseja continuar a ser "dona de sua casa" etc. E em tempos de revolução, quando a vida política está em efervescência, uma organização como os sovietes, que abrange *todos* os operários de *todos* os ramos da indústria, e depois *todos* os soldados e toda a população trabalhadora e pobre do campo, é uma organização que, por si mesma, pela marcha da luta, pela simples "lógica" do ataque e da resposta, é necessariamente levada a colocar a questão *de forma decisiva*. Tentar tomar uma posição intermédia, "conciliar" o proletariado e a burguesia, é uma estupidez destinada a um fracasso lamentável: foi o que aconteceu na Rússia com a pregação de Mártov e outros mencheviques, é isso que inevitavelmente acontecerá na Alemanha e em outros países se os sovietes se desenvolverem com alguma amplitude, se conseguirem se unir e se consolidar. Dizer aos sovietes: lutem, mas não tomem em suas mãos todo o poder do Estado, não se convertam em organizações do Estado, significa pregar a colaboração de classes e a "paz social" entre o proletariado e a burguesia. É ridículo sequer pensar que, numa luta encarniçada, semelhante posição possa conduzir a outra coisa que não a um fracasso vergonhoso. O destino eterno de Kautsky é sentar-se entre duas cadeiras. Finge não estar de acordo em nada com os oportunistas na teoria, mas, de fato, está de acordo com eles *na prática* em todas as questões essenciais (ou seja, em tudo o que diz respeito à revolução).

A ASSEMBLEIA CONSTITUINTE E A REPÚBLICA SOVIÉTICA

A questão da Assembleia Constituinte e de sua dissolução pelos bolcheviques é o fulcro de toda a brochura de Kautsky. Ele volta constantemente a essa questão. Toda a obra do chefe ideológico da Segunda Internacional transborda de alusões a que os bolcheviques "extinguiram a democracia" (conferir uma das citações de Kautsky já apresentadas). A questão, com efeito, tem interesse e importância, porque a correlação entre democracia burguesa e democracia proletária se colocou aqui ante a revolução *na prática*. Vejamos como analisa essa questão nosso "teórico marxista".

Ele cita as *Teses sobre a Assembleia Constituinte* escritas por mim e publicadas no *Pravda* de 26 de dezembro de 1917[39]. Aparentemente, não se poderia esperar melhor prova da seriedade de Kautsky na abordagem da questão, com documentos nas mãos. No entanto, vejamos *como* Kautsky cita. Ele não diz que essas teses eram dezenove, não diz que nelas se colocava a questão tanto da correlação entre uma república burguesa habitual com Assembleia Constituinte e a república dos sovietes quanto da *história* da divergência em nossa revolução entre a Assembleia Constituinte e a ditadura do proletariado. Kautsky desvia de tudo isso e declara simplesmente ao leitor que "duas delas (dessas teses) têm particular importância": uma é que os SRs se cindiram depois das eleições para a Assembleia Constituinte, mas antes de sua reunião (Kautsky não diz que essa tese é a quinta); outra é que a república dos sovietes é, em geral, uma forma democrática superior à da Assembleia Constituinte (Kautsky não diz palavra sobre o fato de que esta é a terceira tese).

E eis que apenas dessa terceira tese Kautsky cita na íntegra uma pequena parte, precisamente a seguinte passagem:

> "A república dos sovietes é não só a forma de tipo mais elevado das instituições democráticas (comparada com a república burguesa *habitual*, coroada por uma Assembleia Constituinte), mas também é a única forma capaz de assegurar a transição menos dolorosa* para o socialismo" [Kautsky omite a palavra "habitual" e as palavras introdutórias da tese: "Para a transição do regime burguês ao socialista, para a ditadura do proletariado"].

Depois de citar essas palavras, Kautsky exclama com magnífica ironia:

> É uma pena que só chegaram a essa conclusão depois de se encontrarem em minoria na Assembleia Constituinte. Ninguém a tinha exigido antes mais ardentemente que Lênin.

[39] Ver Vladímir Ilitch Lênin, "Teses sobre a Assembleia Constituinte", em *Obras escolhidas em seis tomos*, v. 3 (Lisboa/Moscou, Avante!/Progresso, 1985), p. 347-51. (N. E.)

* Aliás, Kautsky cita repetidas vezes a expressão: "transição 'menos dolorosa'", com visível intenção de ironizar. E, como recorre a meios desastrados, algumas páginas adiante trapaceia e cita falsamente: "transição 'indolor'"! Claro que com tais meios não é difícil atribuir ao adversário um absurdo. Essa exposição excessiva também ajuda a desviar da essência da argumentação: a transição menos dolorosa para o socialismo só é possível com a organização total dos pobres (os sovietes) e com a ajuda do centro do poder do Estado (do proletariado) a essa organização.

Eis o que se diz textualmente na página 31 do livro de Kautsky!

Uma verdadeira pérola! Só um capacho da burguesia pode apresentar as coisas de modo tão falso, dando ao leitor a impressão de que o palavreado dos bolcheviques sobre um tipo superior de Estado é uma invenção que só apareceu *depois* que os bolcheviques se encontraram em minoria na Assembleia Constituinte!!! Uma mentira tão infame só pode ser dita por um canalha vendido à burguesia ou, o que é absolutamente a mesma coisa, que deu a sua confiança a P. Akselrod e encobre seus informantes.

Isso porque é sabido por todos que no mesmo dia da minha chegada à Rússia, em 4 de abril de 1917, li publicamente as teses nas quais declarava a superioridade de um Estado do tipo da Comuna sobre a república parlamentar burguesa. Depois, declarei isso *repetidamente* na imprensa, por exemplo numa brochura sobre os partidos políticos[40], que foi traduzida para o inglês e publicada nos Estados Unidos em janeiro de 1918 no jornal de Nova York *Evening Post*[41]. Mais que isso. A conferência do partido dos bolcheviques em fins de abril de 1917 adotou uma resolução dizendo que a república proletário-camponesa é superior à república parlamentar burguesa, que esta última não satisfazia nosso partido e que o programa do partido devia ser correspondentemente modificado.

Como nomear, depois disso, o truque de Kautsky, que assegura aos leitores alemães que eu exigia ardentemente a convocação da Assembleia Constituinte e só depois de os bolcheviques terem se tornado a minoria comecei a "apoucar" a honra e a dignidade da Assembleia Constituinte? O que pode desculpar esse truque*? Que Kautsky não conhecia os fatos? Para que, então, se pôs a escrever sobre eles? Ou por que não declarou honestamente que escreveu na base de informações dos mencheviques Stein, P. Akselrod e cia.? Kautsky deseja, com sua pretensa objetividade, dissimular seu papel de criado dos mencheviques, ressentidos por sua derrota.

[40] Ver Vladímir Ilitch Lênin, "Os partidos políticos na Rússia e as tarefas do proletariado", em *Pólnoie sobránie sotchiniéni*, v. 31 (5. ed., Moscou, Izdátchelstvo Politítcheskoi Literatury, 1969), p. 191-208. (N. E.)

[41] Jornal estadunidense fundado em 1801 e publicado atualmente como *New York Post*. (N. E.)

* Diga-se a propósito: há muitas mentiras mencheviques semelhantes na brochura de Kautsky! É um libelo de um menchevique exasperado.

Contudo, essas são apenas as florezinhas. Os frutos vêm a seguir.

Admitamos que Kautsky não tenha desejado ou não tenha podido (???) receber de seus informantes uma tradução das resoluções e das declarações bolcheviques sobre a questão de saber se os satisfazia a república democrática parlamentar burguesa. Vamos admitir, embora isso também seja inverossímil. No entanto, Kautsky *menciona* explicitamente minhas teses de 26 de dezembro de 1917 na página 30 de seu livro.

Kautsky conhece essas teses integralmente ou delas conhece apenas aquilo que lhe traduziram Stein, Akselrod e cia.? Kautsky cita a *terceira* tese sobre a questão *fundamental* de saber se *antes* das eleições para a Assembleia Constituinte os bolcheviques compreendiam e diziam *ao povo* que a república dos sovietes era superior à república burguesa. *Entretanto, Kautsky silencia a segunda tese.*

E a segunda tese anuncia:

> Apresentando a reivindicação da convocação da Assembleia Constituinte, a social-democracia revolucionária, desde o próprio começo da Revolução de 1917, *sublinhou mais de uma vez que a república dos sovietes é uma forma de democratismo mais elevada do que a república burguesa habitual com a Assembleia Constituinte* (os destaques são meus).[42]

Para apresentar os bolcheviques como pessoas sem princípios, como "oportunistas revolucionários" (Kautsky emprega essa expressão, não me recordo a que propósito, numa passagem de seu livro), o sr. Kautsky *ocultou aos leitores alemães* que as teses mencionam de modo direto declarações feitas "*mais de uma vez*"!

Tais são os métodos mesquinhos, miseráveis e desprezíveis a que recorre o sr. Kautsky. Foi assim que se esquivou à questão *teórica*.

Seria ou não verdade que a república parlamentar democrático-burguesa é *inferior* a uma república do tipo da Comuna ou do tipo dos sovietes? É esse o fulcro da questão, e Kautsky eludiu-o. De tudo o que Marx disse na análise da Comuna de Paris, Kautsky "se esqueceu". Também "se esqueceu"

42 Ver Vladímir Ilitch Lênin, "Teses sobre a Assembleia Constituinte", em *Obras escolhidas em seis tomos*, v. 3, cit., p. 347. (N. E.)

da carta de 28 de março de 1875 de Engels a Bebel, que expressa de forma bem evidente e compreensível a mesma ideia de Marx: a "Comuna [...] já não era um Estado em sentido próprio"[43].

Eis aí o teórico mais destacado da Segunda Internacional, que, numa brochura especial sobre *A ditadura do proletariado*, ao tratar especialmente da Rússia, onde se colocou direta e reiteradamente a questão de uma forma de Estado superior à da república democrático-burguesa, silencia essa questão. Em que, afinal, isso se diferencia *na prática* da passagem para o lado da burguesia?

(Notemos entre parênteses que também aqui Kautsky se arrasta na cauda dos mencheviques russos. Entre estes, não faltam pessoas que conhecem "todas as citações" de Marx e Engels, mas nenhum menchevique, de abril de 1917 a outubro de 1917 e de outubro de 1917 a outubro de 1918, procurou *nem uma única vez* analisar a questão de um Estado do tipo da Comuna. Plekhánov também desviou dessa questão. *Tinham, evidentemente, que se calar.*)

Claro que falar na dissolução da Assembleia Constituinte com pessoas que se dizem socialistas e marxistas, mas na prática, na questão *principal*, na questão de um Estado do tipo da Comuna, passam para o lado da burguesia, seria jogar pérolas a porcos. Bastará publicar integralmente em anexo à presente brochura minhas teses sobre a Assembleia Constituinte. Nelas o leitor verá que a questão foi colocada em 26 de dezembro de 1917 tanto do ponto de vista teórico e histórico quanto político e prático.

Se Kautsky, como teórico, renegou por completo o marxismo, teria podido analisar como historiador a questão da luta dos sovietes contra a Assembleia Constituinte. Sabemos por muitos de seus trabalhos que ele *sabia* ser historiador marxista, que *esses* seus trabalhos ficarão como patrimônio duradouro do proletariado, apesar da renegação posterior. Mas nessa questão, Kautsky, também como historiador, *dá as costas* à verdade, ignora fatos de *conhecimento geral*, porta-se como um bajulador. Ele *quer* apresentar os bolcheviques como gente sem princípios e conta como os bolcheviques tentaram *atenuar* o conflito com a Assembleia Constituinte antes de dissolvê-la. Decididamente,

[43] Ver "Carta de Friedrich Engels a August Bebel, 18/28 mar. 1875", em Karl Marx, *Crítica do Programa de Gotha*, cit., p. 56. (N. E.)

não há nada de errado nisso, não há nada a que nos retratar; publico as teses na íntegra e nelas está dito com toda a clareza: senhores pequeno-burgueses vacilantes entrincheirados na Assembleia Constituinte, ou aceitam a ditadura proletária, ou vamos lhes vencer "pela via revolucionária" (teses 18 e 19).

É assim que sempre atuou e sempre atuará o proletariado verdadeiramente revolucionário em relação à pequena burguesia vacilante.

Kautsky adota na questão da Assembleia Constituinte um ponto de vista formal. Em minhas teses, eu disse clara e reiteradamente que os interesses da revolução estão acima dos direitos formais da Assembleia Constituinte (conferir teses 16 e 17). O ponto de vista democrático formal é precisamente o ponto de vista do democrata *burguês*, que não reconhece que os interesses do proletariado e da luta proletária de classes estão acima. Como historiador, Kautsky não poderia não reconhecer que os parlamentos burgueses são órgãos de uma ou de outra classe. Mas agora (para o sujo objetivo de renunciar à revolução), Kautsky precisou esquecer o marxismo, então *não coloca a questão* de que *classe* era órgão a Assembleia Constituinte na Rússia. Kautsky não examina as circunstâncias concretas, não quer encarar os fatos, não diz palavra aos leitores alemães sobre o fato de que as teses oferecem não só um esclarecimento teórico da questão do caráter limitado da democracia burguesa (teses 1 a 3), não só as condições concretas que determinaram a não correspondência das listas dos partidos de meados de outubro de 1917 com a realidade em dezembro de 1917 (teses 4 a 6), mas também *a história da luta de classes e da guerra civil* em outubro-dezembro de 1917 (teses 7 a 15). Dessa história concreta, concluímos (tese 14) que a palavra de ordem "todo o poder à Assembleia Constituinte" tinha se tornado, *na prática*, a palavra de ordem dos KDs[44] e dos kaledinistas e seus cúmplices.

Isso o historiador Kautsky não nota. O historiador Kautsky nunca ouviu dizer que o sufrágio universal resulta em parlamentos por vezes pequeno-burgueses e por vezes reacionários e contrarrevolucionários. O historiador marxista Kautsky não ouviu dizer que uma coisa é a forma das eleições, a

[44] Membros do Конституционная Демократическая партия/*Konstitutsionno-Demokraticheskaya Partiya* [Partido Constitucional-Democrata ou "Partido da Liberdade do Povo"], principal partido da burguesia liberal monárquica da Rússia. Devido à abreviatura do nome do partido em russo (KD), também são conhecidos como *kadets*. (N. E.)

forma da democracia, e outra coisa o conteúdo de classe de uma determinada instituição. Essa questão do conteúdo de classe da Assembleia Constituinte está diretamente colocada e resolvida em minhas teses. É possível que minha solução seja incorreta. Nada nos seria mais desejável que uma crítica marxista de nossa análise vinda de fora. Em vez de escrever frases absolutamente estúpidas (elas são numerosas em Kautsky) acerca de haver quem impeça a crítica ao bolchevismo, Kautsky deveria ter feito tal crítica. Ainda assim, o fato é que ele não faz crítica nenhuma. Ele *não coloca* sequer *a questão* de uma análise de classe dos sovietes, por um lado, e da Assembleia Constituinte, por outro. E por isso *não é possível* debater, discutir com Kautsky, restando apenas *mostrar* ao leitor por que não se pode chamar Kautsky de outra coisa que não seja renegado.

A divergência entre os sovietes e a Assembleia Constituinte tem sua história, que não poderia ser eludida nem mesmo por um historiador que não se colocasse no ponto de vista da luta de classes. Kautsky não quis nem *tocar* nessa história factual. Kautsky ocultou aos leitores alemães o fato de conhecimento geral (que agora só os mencheviques raivosos ocultam) de que os sovietes, mesmo sob domínio dos mencheviques, ou seja, desde fins de fevereiro até outubro de 1917, divergiam das instituições "estatais gerais" (ou seja, burguesas). Em essência, Kautsky adota um ponto de vista de conciliação, de acordo, de colaboração entre o proletariado e a burguesia; por mais que o negue, esse seu ponto de vista é um fato confirmado por toda a brochura. Não se devia dissolver a Assembleia Constituinte, o que significa: não se devia levar até o fim a luta contra a burguesia, não se devia derrubá-la, o proletariado devia conciliar-se com a burguesia.

Por que Kautsky se calou sobre o fato de que os mencheviques se ocuparam, de fevereiro a outubro de 1917, desse trabalho pouco honroso, sem nada conseguir? Se era possível conciliar a burguesia com o proletariado, por que então não se obteve a conciliação sob os mencheviques, a burguesia se manteve afastada dos sovietes, os sovietes foram chamados (*pelos mencheviques*) de "democracia revolucionária" e a burguesia foi chamada de "elementos censitários"?

Kautsky ocultou aos leitores alemães que eram precisamente os mencheviques, na "época" (fevereiro-outubro de 1917) de sua dominação, que chamavam os sovietes democracia revolucionária, reconhecendo *com isso mesmo* sua supremacia sobre todas as demais instituições. Só ocultando esse fato foi que o historiador Kautsky conseguiu apresentar a divergência entre os sovietes e a burguesia como algo que não tem sua história, que se produziu de súbito, repentinamente, sem razão, em consequência da má conduta dos bolcheviques. Na prática, porém, foi precisamente *a experiência de mais de meio ano* (para uma revolução, um prazo enorme) de política de conciliação menchevique, de tentativas de conciliar o proletariado com a burguesia, que convenceu o povo da inutilidade dessas tentativas, que afastou o proletariado dos mencheviques.

Os sovietes são uma magnífica organização de combate do proletariado, com um grande futuro, reconhece Kautsky. No entanto, se é assim, toda a posição de Kautsky se desmorona como um castelo de cartas ou como o sonho de um pequeno-burguês de evitar a luta encarniçada entre o proletariado e a burguesia. Porque toda a revolução é uma luta contínua e, além disso, desesperada, e o proletariado é a classe avançada de *todos* os oprimidos, o foco e o centro de todas as aspirações de todos e cada um dos oprimidos a sua libertação. Os sovietes – órgãos de luta das massas oprimidas – refletiam e traduziam, naturalmente, o estado de espírito e as mudanças de opinião dessas massas infinitamente mais depressa, mais completa e mais fielmente que as outras instituições (nisso reside, diga-se de passagem, uma das razões que fazem da democracia soviética um tipo superior de democracia).

De 28 de fevereiro (velho estilo) a 25 de outubro de 1917, os sovietes conseguiram convocar *dois* congressos de panrussos da gigantesca maioria da população da Rússia, de todos os operários e soldados, de sete ou oito décimos do campesinato, sem contar uma quantidade de congressos locais, de *uiézd*, de cidade, de *gubiérnia* e regionais. Ao longo desse período, a burguesia não conseguiu convocar uma única instituição que representasse a maioria (com exceção da "Conferência Democrática", manifestamente falsificada, que era um insulto e que suscitou a cólera do proletariado). A Assembleia Constituinte refletiu *o mesmo* estado de espírito das massas, *o mesmo* agrupamento político que o I Congresso dos Sovietes de toda a Rússia (de junho). No momento da convocação da Assembleia Constituinte (janeiro de 1918), tinham-se realizado o II Congresso dos Sovietes (outubro de 1917) e o terceiro (janeiro de 1918), e ambos *mostraram com toda clareza* que as massas voltaram-se à esquerda, se revolucionaram, deram as costas aos mencheviques e aos SRs, passaram para o lado dos bolcheviques, *ou seja*, deram as costas à direção pequeno-burguesa, à ilusão de um entendimento com a burguesia, e passaram para o lado da luta revolucionária do proletariado para a derrubada da burguesia.

Consequentemente, a própria *história externa* dos sovietes já mostra a inevitabilidade da dissolução da Assembleia Constituinte e seu *reacionarismo*. Mas Kautsky agarra-se firmemente à sua "palavra de ordem": que pereça a revolução, que triunfe a burguesia sobre o proletariado, mas que floresça a "democracia pura"! *Fiat justitia, pereat mundus*[45]!

Eis um breve resumo dos Congressos dos Sovietes de toda a Rússia na história da Revolução Russa:

Congressos dos Sovietes de toda a Rússia	Número de delegados	Número de bolcheviques	% de bolcheviques
1º (3.VI.1917)	790	103	13%
2º (25.X.1917)	675	343	51%
3º (10.I.1918)	710	434	61%
4º (14.III.1918)	1232	795	64%
5º (4.VII.1918)	1164	773	66%

Basta dar uma olhada nesses números para compreender por que o fato de a defesa da Assembleia Constituinte ou os discursos (como os discursos de Kautsky) sobre os bolcheviques não terem a maioria da população encontra entre nós apenas o riso.

A CONSTITUIÇÃO SOVIÉTICA

Como já indiquei, privar a burguesia do direito ao voto não constitui um traço obrigatório e indispensável da ditadura do proletariado. Também na

[45] "Que se faça justiça, ainda que pereça o mundo!" (N. E.)

Rússia, os bolcheviques, que muito antes de outubro tinham proclamado a palavra de ordem dessa ditadura, não falavam de antemão de privar os exploradores do direito de voto. *Essa* parte integrante da ditadura não apareceu "de acordo com um plano" de um partido qualquer, mas *cresceu* por si mesma no curso da luta. Claro que isso o historiador Kautsky não notou. Não compreendeu que a burguesia, ainda durante a dominação dos mencheviques (partidários da conciliação com a burguesia) nos sovietes, se separou ela própria dos sovietes, boicotou-os, fazia oposição a eles, criava intrigas contra eles. Os sovietes surgiram sem qualquer constituição e viveram assim durante *mais de um ano* (da primavera de 1917 ao verão de 1918). A fúria da burguesia contra a organização independente e onipotente (porque abrangia a todos) dos oprimidos, a luta – a luta mais desavergonhada, mais egoísta e mais suja – da burguesia contra os sovietes e, finalmente, a clara participação da burguesia (dos KDs aos SRs de direita, desde Miliúkov até Keriénski) na *kornilovschina*[46], tudo isso *preparou* a exclusão formal da burguesia dos sovietes.

Kautsky ouviu falar da *kornilovschina*, mas cospe majestosamente sobre os fatos históricos, sobre o curso e as formas da luta, que determinam *as formas* da ditadura: o que têm os fatos a ver com isso, na verdade, uma vez que se trata da democracia "pura"? A "crítica" de Kautsky, dirigida contra a retirada do direito de voto à burguesia, distingue-se, por isso, por tal... ingenuidade adocicada que seria enternecedora se viesse de uma criança e que provoca nojo quando vem de uma pessoa que ainda não foi oficialmente declarada imbecil.

"... Se os capitalistas, com o sufrágio universal, se encontrassem numa insignificante minoria, teriam se reconciliado mais rapidamente com seu destino" (p. 33)... Não é, na verdade, encantador? O inteligente Kautsky viu muitas vezes na história, e em geral conhece muito bem pela observação da vida real, latifundiários e capitalistas que respeitam a vontade da maioria dos oprimidos. O inteligente Kautsky mantém-se firme no ponto de vista da "oposição", ou seja, no ponto de vista da luta intraparlamentar. Assim o escreve textualmente: "Oposição" (p. 34 e muitas outras).

[46] Levante contrarrevolucionário da burguesia e dos latifundiários em agosto de 1917, dirigido pelo comandante-chefe do Exército, o general tsarista Kornílov. (N. E.)

Ó, douto historiador e político! Não lhe faria mal saber que "oposição" é um conceito de luta pacífica e exclusivamente parlamentar, ou seja, um conceito que corresponde a uma situação não revolucionária, um conceito que corresponde à *ausência de revolução*. Na revolução, encontramo-nos perante um inimigo implacável na guerra civil; nenhuma jeremiada reacionária de pequeno-burguês, que receia essa guerra como a receia Kautsky, modificará esse fato. Encarar do ponto de vista da "oposição" as questões de uma guerra civil implacável, quando a burguesia incorre em todos os crimes – o exemplo dos versalheses e seu conluio com Bismarck diz alguma coisa a quem não trata a história como o Petruchka[47] de Gógol –, quando a burguesia chama em seu auxílio Estados estrangeiros e conspira com eles contra a revolução, é algo cômico. À semelhança do "conselheiro da confusão" Kautsky, o proletariado revolucionário deve pôr a touca de dormir e considerar a burguesia, que organiza as insurreições contrarrevolucionárias de Dútov, de Krasnov e dos tchecos, que paga milhões aos sabotadores, como "oposição" legal. Ó, profundidade de pensamento!

A Kautsky interessa exclusivamente o lado formal e jurídico da questão, de modo que, ao ler suas dissertações sobre a Constituição soviética, nos lembramos involuntariamente das palavras de Bebel: os juristas são pessoas completamente reacionárias. "Na realidade" – escreve Kautsky –, "não se pode privar de direitos apenas os capitalistas. Quem é um capitalista no sentido jurídico? Um possuidor de bens? Mesmo num país que foi tão longe na via do progresso econômico como a Alemanha, cujo proletariado é tão numeroso, a implantação de uma república soviética privaria de direitos políticos grandes massas. Em 1907, no Império Alemão, o número de pessoas e de famílias ocupadas nos três grandes grupos – agricultura, indústria e comércio – era de cerca de 35 milhões no grupo dos empregados e operários assalariados e de 17 milhões no grupo dos independentes. Portanto, um partido pode muito bem ser maioria entre os operários assalariados, mas minoria entre a população" (p. 33.).

[47] Personagem do romance *Almas mortas*, de Nikolai Gógol [ed. bras.: trad. Rubens Figueiredo, São Paulo, Editora 34, 2018]; servo que lia as palavras sem entender o conteúdo, interessando-se apenas pelo processo mecânico da leitura. (N. E.)

Eis uma pequena amostra dos raciocínios de Kautsky. Não é isso uma choradeira contrarrevolucionária de burguês? Por que, sr. Kautsky, você incluiu todos os "independentes" na categoria de pessoas desprovidas de direitos, quando sabe muito bem que a imensa maioria dos camponeses russos não emprega operários assalariados e, portanto, não está privada de direitos? Por acaso não é uma falsificação?

Por que você, douto economista, não citou dados que conhece perfeitamente e que estão disponíveis na mesma estatística alemã de 1907 sobre o trabalho assalariado na agricultura por grupos de explorações? Por que não mostrou aos operários alemães, leitores de sua brochura, esses dados a partir dos quais ficaria patente *quantos são os exploradores*, como há poucos exploradores entre o total dos "proprietários rurais" segundo a estatística alemã?

Porque sua renegação fez de você um simples bajulador da burguesia.

Capitalista, vejam bem, é um conceito jurídico impreciso, e Kautsky dedica algumas páginas a fulminar a "arbitrariedade" da Constituição soviética. Esse "sério letrado" permite à burguesia inglesa elaborar e aperfeiçoar durante séculos uma constituição burguesa nova (nova para a Idade Média), mas a nós, operários e camponeses da Rússia, esse representante de uma ciência servil não dá nenhum prazo. De nós exige uma constituição elaborada até os mínimos detalhes em alguns meses...

... "Arbitrariedade!" Pensem apenas que abismo do mais sujo servilismo perante a burguesia, do mais obtuso pedantismo que se revela em *tal* censura. Quando os juristas dos países capitalistas, completamente burgueses e na maioria reacionários, elaboraram no decorrer de séculos ou décadas as mais detalhadas regras, escreveram dezenas e centenas de volumes de leis e comentários às leis para *oprimir* o operário, para atar de pés e mãos o *pobre*, para opor mil argúcias e obstáculos a qualquer simples trabalhador do povo, ah, então os liberais burgueses e o sr. Kautsky não enxergam aqui "arbitrariedade"! Aqui há "ordem" e "legalidade"! Aqui tudo está pensado e prescrito para "espremer" o máximo possível do pobre. Aqui há milhares de advogados e funcionários burgueses (sobre os quais Kautsky, em geral, se cala, justamente porque Marx conferiu uma enorme importância à *destruição* da máquina do funcionalismo...); advogados e funcionários que sabem interpretar as leis de modo tal que o operário e o camponês médio jamais rompam a barreira de arame farpado dessas leis. Isso não é "arbitrariedade" da burguesia, isso não é uma ditadura de exploradores egoístas e sórdidos, sugadores do sangue do povo, nada disso. Essa é a "democracia pura", que a cada dia se torna mais e mais pura.

Já quando as classes trabalhadoras e exploradas, isoladas de seus irmãos estrangeiros pela guerra imperialista, criaram pela primeira vez na história os *seus* sovietes, chamaram à edificação política *aquelas massas* que a burguesia oprimia, embrutecia, esmagava, e começaram a construir *elas próprias* um Estado *novo*, proletário, e começaram no ardor de uma luta encarniçada, no fogo da guerra civil, a *esboçar* os princípios fundamentais de um Estado *sem exploradores*, então todos os canalhas da burguesia, todo o bando de vampiros, com o seu acólito Kautsky, bradam contra a "arbitrariedade"! Ora, como poderiam esses ignorantes, esses operários e camponeses, esse "populacho", interpretar as suas leis? Onde vão adquirir o sentido da justiça esses simples trabalhadores, não dispondo dos conselhos dos ilustrados advogados, escritores burgueses, dos Kautsky e dos velhos e sábios funcionários?

O sr. Kautsky cita as seguintes palavras de meu discurso de 28 de abril de 1918[48]: "... As próprias massas determinam a ordem e o prazo das eleições...". E o "democrata puro" Kautsky conclui:

> ... Consequentemente, pelo visto, cada assembleia de eleitores pode determinar a seu bel-prazer a ordem das eleições. A arbitrariedade e a possibilidade de se desembaraçar dos elementos de oposição incômodos no seio do próprio proletariado seriam, desse modo, elevados ao mais alto grau. (p. 37)

Em que se distingue isso dos discursos de um *coolie* da pena contratado pelos capitalistas, que brada porque numa greve a massa oprime os operários zelosos que "desejam trabalhar"? Por que a determinação da ordem das eleições pelos funcionários *burgueses* na "pura" democracia burguesa não é uma arbitrariedade? Por que o sentido de justiça *das massas que se erguem para a luta* contra seus exploradores seculares, das massas que são instruídas e

[48] Ver Vladímir Ilitch Lênin, "As tarefas imediatas do poder soviético", em *Obras escolhidas em três tomos*, v. 2 (Lisboa/Moscou, Avante!/Progresso, 1978), p. 557-87. (N. E.)

temperadas por essa luta desesperada, deve ser inferior ao de *um punhado* de funcionários, intelectuais e advogados educados nos preconceitos *burgueses*?

Kautsky é um verdadeiro socialista, não ousem suspeitar da sinceridade desse respeitabilíssimo pai de família, desse honradíssimo cidadão. Ele é um partidário ardente e convicto da vitória dos operários, da revolução proletária. É que ele só gostaria que, *primeiro*, *antes* do movimento das massas, *antes* de sua luta encarniçada contra os exploradores, e necessariamente *sem* guerra civil, os dóceis intelectuais pequeno-burgueses e filisteus, com a touca de dormir, estabelecessem uns moderados e precisos *estatutos do desenvolvimento da revolução*...

É com profunda revolta moral que nosso doutíssimo Judazinho Golovliov[49] conta aos operários alemães que em 14 de junho de 1918 o CEC dos sovietes de toda a Rússia decidiu excluir dos sovietes os representantes dos partidos dos SRs de direita e dos mencheviques. "Essa medida" - escreve o Judazinho Kautsky, ardendo de nobre indignação - "não é dirigida contra determinadas pessoas que cometeram determinados atos puníveis... A Constituição da República Soviética não diz uma única palavra sobre a imunidade dos deputados, dos membros sovietes. Não são determinadas *pessoas*, mas determinados *partidos* que aqui são excluídos dos sovietes" (p. 37).

Sim, isso é de fato terrível, é um desvio intolerável da democracia pura, segundo as regras da qual fará a revolução nosso revolucionário Judazinho Kautsky. Nós, os bolcheviques russos, devíamos ter começado por prometer a imunidade aos Sávinkov e cia., aos Liberdan[50] e aos Potriéssov ("ativistas"[51]) e cia., e depois escrever um código penal declarando "punível" a participação na guerra contrarrevolucionária dos tchecoslovacos ou a aliança com os imperialistas alemães na Ucrânia ou na Geórgia *contra* os operários de seu país, e

[49] Referência a Porfírio Golovliov, personagem do romance *A família Golovliov*, de Saltikov-Schedrin [ed. port.: trad. Manuel de Seabra, Lisboa, Relógio D'Água, 2010]; herdeiro que, por meio de trapaças e traições, se apodera de toda a riqueza da família. (N. E.)

[50] Designação irônica dada aos chefes mencheviques M. I. Líber e F. I. Dan e a seus partidários depois da publicação no jornal *Sotsial-Demokrat* de um artigo satírico de D. Biédni intitulado "Liberdan". (N. E.)

[51] Referência ao grupo de mencheviques que usava os métodos da luta armada contra o poder soviético e o partido bolchevique. (N. E.)

só *depois*, na base desse código penal, teríamos o direito, de acordo com a "democracia pura", de excluir dos sovietes "determinadas pessoas". É evidente que os tchecoslovacos, que recebem dinheiro dos capitalistas anglo-franceses por intermédio dos Sávinkov, Potriéssov e Liberdan (ou com a ajuda de sua agitação), tal como os Krasnov, que receberam obuses dos alemães por intermédio dos mencheviques da Ucrânia e de Tblisi, teriam esperado pacificamente que nós tivéssemos redigido nosso código penal na devida forma e, como os mais puros democratas, teríamos nos limitado a um papel de "oposição"...

Provoca em Kautsky não menos forte indignação moral o fato de que a Constituição soviética suprime direito de voto àqueles que "empregam operários assalariados com objetivos de lucro". "Um trabalhador que trabalha em casa ou um pequeno patrão com um aprendiz" – escreve Kautsky – "pode viver e sentir como um verdadeiro proletário, mas não tem o direito de votar" (p. 36).

Que desvio da "democracia pura"! Que injustiça! É verdade que até agora todos os marxistas supunham, e milhares de fatos confirmavam, que os pequenos patrões são os mais desavergonhados e mesquinhos exploradores dos operários assalariados, mas o Judazinho Kautsky não toma, evidentemente, a *classe* dos pequenos patrões (quem terá imaginado a perniciosa teoria da luta de classes?), e sim indivíduos, exploradores que "vivem e sentem como verdadeiros proletários". A famosa "poupadora Agnes", que há tempos é considerada morta, ressuscitou sob a pena de Kautsky. Essa poupadora Agnes foi inventada e posta em cena na literatura alemã há algumas décadas por um democrata "puro", o burguês Eugen Richter. Ele profetizou males indizíveis em consequência da ditadura do proletariado, da confiscação do capital aos exploradores, e perguntou com ar inocente quem era um capitalista no sentido jurídico. Tomou como exemplo uma costureira pobre e poupada (a "poupadora Agnes"), à qual os malvados "ditadores do proletariado" suprimem até o último centavo. Houve um tempo em que toda a social-democracia alemã se divertia com essa "poupadora Agnes" do democrata puro Eugen Richter. Mas isso foi há muito, muito tempo, quando ainda vivia Bebel, que dizia aberta e diretamente esta verdade: em nosso partido há muitos nacionais-liberais; isso foi há muito tempo, quando Kautsky ainda não era um renegado.

Agora a "poupadora Agnes" ressuscitou na pessoa do "pequeno patrão com um aprendiz que vive e sente como um verdadeiro proletário". Os malvados bolcheviques ofendem-no, suprimem-lhe o direito de voto. É verdade que "cada assembleia eleitoral", como diz o próprio Kautsky, pode na República Soviética admitir em si um pobre artesão ligado, suponhamos, a dada fábrica, se por exceção ele não é um explorador, se *na prática* "vive e sente como um verdadeiro proletário". Mas por acaso é possível confiar no conhecimento de vida, no sentido de justiça de uma assembleia de simples operários de uma fábrica, sem ordem e que atua (ó, o horror!) sem estatutos? Por acaso não é evidente que vale mais dar o direito de voto a *todos* os exploradores, a *todos* aqueles que empregam operários assalariados, que correr o risco de que ofendam a "poupadora Agnes" e o "pequeno artesão que vive e sente como um proletário"?

* * *

Que os desprezíveis canalhas renegados, aplaudidos pela burguesia e pelos sociais-chauvinistas*, insultem nossa Constituição soviética porque ela suprime aos exploradores o direito ao voto. Isso é bom, porque vai acelerar e aprofundar a cisão entre os operários revolucionários da Europa e os Scheidemann e Kautsky, Renaudel e Longuet, Henderson e Ramsay MacDonald, os velhos líderes e velhos traidores do socialismo.

As massas das classes oprimidas, os líderes conscientes e honestos dos proletários revolucionários estarão *por* nós. Bastará que tais proletários e essas massas se familiarizem com nossa Constituição soviética para que digam, de imediato: eis aí gente autenticamente *como a gente*, eis aí um autêntico partido operário, um autêntico governo operário. Porque ele não engana os operários com falatório sobre reformas, como *nos enganaram todos os líderes mencionados*, mas luta seriamente contra os exploradores,

* Acabo de ler no editorial da *Gazeta de Frankfurt* (n. 293, 22 out. 1918) um resumo entusiasta da brochura de Kautsky. O jornal dos bolsistas está satisfeito. Como não? E um camarada de Berlim escreve-me que o *Vorwärts*, o jornal dos Scheidemann, declarou num artigo especial que subscreve quase todas as linhas de Kautsky. Parabéns, parabéns!

conduz seriamente a revolução, luta *na prática* pela plena emancipação dos operários.

Se os sovietes, depois de um ano de "prática" dos sovietes, privaram os exploradores do direito de voto, *significa* que esses sovietes são realmente organizações das massas oprimidas, não dos sociais-imperialistas nem dos sociais-pacifistas vendidos à burguesia. *Se* esses sovietes suprimiram aos exploradores o direito ao voto, *significa* que os sovietes não são órgãos de conciliação pequeno-burguesa com os capitalistas, não são órgãos de charlatanice parlamentar (dos Kautsky, Longuet e MacDonald), mas órgãos do proletariado de fato revolucionário, que conduz uma luta de vida ou morte contra os exploradores.

"O livro de Kautsky é aqui quase desconhecido", escreveu-me de Berlim há uns dias (hoje estamos a 30 de outubro) um camarada bem informado. Eu aconselharia nossos embaixadores na Alemanha e na Suíça a não pouparem uns milhares para comprar esse livro e *distribuí-lo gratuitamente* aos operários conscientes para enterrar na lama a social-democracia "europeia" – leia-se imperialista e reformista –, que há muito se tornou um "cadáver fétido".

* * *

No fim de seu livro, nas páginas 61 e 63, o sr. Kautsky deplora amargamente que "a nova teoria" (como ele chama o bolchevismo, receando abordar a análise que Marx e Engels fizeram da Comuna de Paris) "encontre partidários mesmo em velhas democracias, como, por exemplo, a Suíça". "É incompreensível" para Kautsky "que os sociais-democratas alemães aceitem essa teoria".

Não, isso é plenamente compreensível, porque, depois das sérias lições da guerra, tanto os Scheidemann quanto os Kautsky se tornaram repugnantes para as massas revolucionárias.

"Nós" sempre fomos pela democracia – escreve Kautsky –, e vamos de repente renunciar a ela?!

"Nós", os oportunistas da social-democracia, sempre fomos contra a ditadura do proletariado, e os Kolb e cia. disseram-no abertamente *há muito tempo*. Kautsky sabe disso e pensa, em vão, que conseguirá ocultar dos leitores o fato evidente de seu "regresso ao seio" dos Bernstein e dos Kolb.

"Nós", os marxistas revolucionários, nunca fizemos da democracia "pura" (burguesa) um ídolo. Plekhánov era, em 1903, como se sabe, um marxista revolucionário (antes de sua triste virada, que o conduziu à posição de um Scheidemann russo). E Plekhánov disse, então, no congresso do partido em que foi adotado o programa, que, na revolução, o proletariado, por necessidade, suprimiria o direito ao voto dos capitalistas, *dissolveria qualquer parlamento*, se este se revelasse contrarrevolucionário. Que esse é justamente o único ponto de vista que corresponde ao marxismo, isso qualquer pessoa verá, ainda que seja só pelas declarações de Marx e Engels ora citadas. Isso evidentemente decorre de todas as bases do marxismo.

"Nós", os marxistas revolucionários, não fizemos ao povo discursos como os que gostavam de pronunciar os kautskistas de todas as nações em suas funções de lacaios da burguesia, adaptando-se ao parlamentarismo burguês, silenciando o caráter *burguês* da democracia contemporânea e exigindo apenas *sua* ampliação, *sua* realização até o fim.

"Nós" dissemos à burguesia: vocês, exploradores e hipócritas, falam de democracia ao mesmo tempo que levantam a cada passo milhares de obstáculos à participação das *massas oprimidas* na vida política. Nós pegamos vocês pela palavra e exigimos, no interesse dessas massas, a ampliação de *sua* democracia burguesa, *a fim de preparar as massas para a revolução* para a derrubada de vocês, exploradores. E se vocês, exploradores, oferecerem resistência à nossa revolução proletária, nós vamos reprimi-los implacavelmente, vamos lhes retirar os direitos, e isso é pouco: não lhes daremos pão, porque em nossa república proletária os exploradores não terão direitos, serão privados do fogo e da água, pois somos socialistas a sério e não à Scheidemann ou Kautsky.

Foi assim que falamos e é assim que falaremos, "nós", os marxistas revolucionários, e eis por que as massas oprimidas estarão por nós e conosco, enquanto os Scheidemann e os Kautsky vão para a lata de lixo dos renegados.

O QUE É O INTERNACIONALISMO?

Kautsky, com a maior convicção, considera-se e denomina-se internacionalista. Qualifica os Scheidemann de "socialistas governamentais". Ao defender os mencheviques (Kautsky não diz diretamente que é solidário a eles, mas aplica completamente suas ideias), Kautsky revelou com notável clareza o que é seu "internacionalismo". E como Kautsky não é um indivíduo isolado, mas um representante de uma corrente que inevitavelmente nasceu no ambiente da Segunda Internacional (Longuet na França, Turati na Itália, Nobs e Grimm, Graber e Naine na Suíça, Ramsay MacDonald na Inglaterra etc.), é instrutivo determo-nos no "internacionalismo" de Kautsky.

Depois de sublinhar que os mencheviques também estiveram em Zimmerwald (é um diploma, sem dúvida, mas… um diploma apodrecido), Kautsky traça o seguinte quadro das ideias dos mencheviques, com as quais está de acordo:

> "… Os mencheviques queriam uma paz geral. Queriam que todos os beligerantes aceitassem a palavra de ordem: sem anexações nem contribuições. Enquanto isso não fosse alcançado, o Exército russo, segundo esse ponto de vista, devia se manter em disposição de combate. Já os bolcheviques exigiam a paz imediata a todo custo, estavam prontos para concluir uma paz separada em caso de necessidade, esforçavam-se por impô-la por meio da força, aumentando a desorganização do exército, que, sem isso, já era grande." (p. 27) Segundo Kautsky, os bolcheviques não deviam tomar o poder, mas contentar-se com a Constituinte.

Assim, o internacionalismo de Kautsky e dos mencheviques consiste no seguinte: exigir reformas do governo burguês imperialista, mas continuar a apoiá-lo, continuar a apoiar a guerra travada por esse governo até que todos os beligerantes tenham aceitado a palavra de ordem: sem anexações nem contribuições. Essa ideia foi reiteradamente expressa por Turati, os kautskistas (Haase e outros) e Longuet e cia., que declararam que eram *pela* "defesa da pátria".

Teoricamente, trata-se de uma incapacidade total de se separar dos sociais-chauvinistas e de uma completa confusão na questão da defesa da pátria.

Politicamente, trata-se de substituir o internacionalismo pelo nacionalismo pequeno-burguês e passar para o lado do reformismo, renegar a revolução.

Reconhecer a "defesa da pátria" é, do ponto de vista do proletariado, justificar essa guerra, reconhecer sua legitimidade. E, como a guerra continua a ser imperialista (tanto sob a monarquia quanto sob a república) – independentemente de onde se encontram as tropas inimigas em um determinado momento, em meu país ou em país estrangeiro –, reconhecer a defesa da pátria é, *na prática*, apoiar a burguesia imperialista e espoliadora, trair completamente o socialismo. Na Rússia, mesmo sob Keriénski, na república democrático-burguesa, a guerra continuava imperialista, pois era conduzida pela burguesia como classe dominante (e a guerra é a "continuação da política"); e uma expressão particularmente patente do caráter imperialista da guerra eram os tratados secretos sobre a partilha do mundo e a pilhagem de países estrangeiros, concluídos pelo ex-tsar com os capitalistas da Inglaterra e da França.

Os mencheviques enganavam o povo de maneira vil, chamando a essa guerra de defensiva ou revolucionária, e Kautsky, ao aprovar a política dos mencheviques, aprova que se engane o povo, aprova o papel dos pequeno-burgueses, que servem o capital iludindo os operários e amarrando-os ao carro dos imperialistas. Kautsky prossegue uma política tipicamente pequeno-burguesa, filistina, imaginando (e inculcando nas massas a ideia absurda) de que *lançar uma palavra de ordem* modifica as coisas. Toda a história da democracia burguesa desmascara essa ilusão: para enganar o povo, os democratas burgueses lançaram e lançam sempre as "palavras de ordem" que lhes são convenientes. Trata-se de *comprovar* sua sinceridade, de comparar as palavras com a *prática*, de não se contentar com *frases* idealistas ou charlatanescas, mas de procurar encontrar a *realidade de classe*. A guerra imperialista não deixa de ser imperialista quando os charlatães ou fraseadores, ou os pequeno-burgueses filisteus, lançam uma "palavra de ordem" adocicada, mas apenas quando a *classe* que trava a guerra imperialista e está ligada a ela por milhões de fios (e mesmo cabos) econômicos é na prática *derrubada* e quando é substituída no poder pela classe verdadeiramente revolucionária, o proletariado. *De outro modo, é impossível livrar-se de uma guerra imperialista, assim como de uma paz imperialista, espoliadora.*

Ao aprovar a política externa dos mencheviques, declarando-a internacionalista e zimmerwaldiana, Kautsky, em primeiro lugar, demonstra toda a podridão da maioria oportunista de Zimmerwald (não foi sem razão que nós, a *esquerda* de Zimmerwald, nos separamos imediatamente de tal maioria!) e, em segundo lugar – e isso é o principal –, passa da posição do proletariado para a posição da pequena burguesia, da posição revolucionária para a posição reformista.

O proletariado luta pela derrubada revolucionária da burguesia imperialista; a pequena burguesia, pelo "aperfeiçoamento" reformista do imperialismo, pela adaptação a ele, *submetendo-se* a ele. Quando Kautsky ainda era marxista, por exemplo, em 1909, quando escreveu *O caminho para o poder*, defendia precisamente a ideia da inevitabilidade da *revolução* em ligação à guerra, falava da proximidade de *uma era de revoluções*. O Manifesto de Basileia de 1912 trata direta e definidamente da *revolução proletária* em ligação com essa mesma guerra imperialista entre os grupos alemão e inglês, que eclodiu em 1914. E, em 1918, quando começaram as revoluções em ligação com a guerra, em vez de explicar sua inevitabilidade, em vez de ponderar e examinar até o fim a tática *revolucionária*, os processos e os meios de preparação para a revolução, Kautsky começou a chamar de internacionalismo a tática reformista dos mencheviques. Por acaso isso não é uma renegação?

Kautsky elogia os mencheviques porque insistiram em que se mantivesse o exército em disposição de combate. Censura os bolcheviques por terem aumentado a "desorganização do exército", que sem isso já era grande. Isso significa elogiar o reformismo e submeter-se à burguesia imperialista, censurar a revolução e renegá-la. Pois significava, sob Keriénski, a conservação da prontidão de combate e a conservação do exército com o comando *burguês* (ainda que republicano). É conhecido de todos – e o curso dos acontecimentos evidenciou isso – que esse exército republicano conservava o espírito *kornilovista*, graças a seus quadros de comando kornilovistas. A oficialidade burguesa não podia deixar de ser kornilovista, não podia deixar de se inclinar ao imperialismo, à repressão violenta do proletariado. Conservar à moda antiga todas as bases da guerra imperialista, todas as bases da ditadura *burguesa*, resolver miudezas, retocar ninharias ("reformas") –, a isso reduzia-se, *na prática*, a tática dos mencheviques.

E é o contrário. Da "desorganização do exército", nenhuma grande revolução prescindiu nem pode prescindir. Isso porque o exército é o instrumento mais empedernido de sustentação do velho regime, o baluarte mais endurecido da disciplina burguesa, da sustentação do domínio do capital, da manutenção e da formação da submissão e da subordinação servis dos trabalhadores ao capital. A contrarrevolução nunca tolerou nem podia tolerar a existência de operários armados ao lado do exército. Na França – escreveu Engels –, os operários ficaram armados depois de cada revolução; "por isso, o desarmamento dos trabalhadores era o primeiro imperativo para a burguesia no comando do Estado"[52]. Os operários armados eram o germe de um exército *novo*, a célula organizativa do *novo* regime social. Esmagar essa célula, não a deixar crescer, era o primeiro imperativo da burguesia. O primeiro imperativo de qualquer revolução vitoriosa – Marx e Engels destacaram muitas vezes – foi destruir o antigo exército, dissolvê-lo e substituí-lo por um novo. A nova classe social que ascende ao poder nunca pôde nem pode agora conseguir esse poder, tampouco consolidá-lo, sem decompor por completo o antigo exército ("desorganização", bradam a esse respeito os pequeno-burgueses reacionários ou simplesmente covardes); sem passar por um período muito difícil e doloroso sem qualquer exército (a grande Revolução Francesa passou também por esse período doloroso); sem formar gradualmente, numa dura guerra civil, o novo exército, a nova disciplina, a nova organização militar da nova classe. O historiador Kautsky antigamente compreendia isso. O renegado Kautsky esqueceu.

Que direito tem Kautsky de denominar os Scheidemann de "socialistas governamentais", se ele *aprova* a tática dos mencheviques na Revolução Russa? Os mencheviques, ao apoiarem Keriénski, ao entrarem em seu ministério, eram igualmente socialistas governamentais. Kautsky não poderá jamais desviar dessa conclusão, se procurar colocar a questão da *classe dominante*,

[52] Ver Friedrich Engels, "Introdução à *Guerra civil na França*, de Karl Marx (1891)", em Karl Marx, *A guerra civil na França*, cit., p. 188. (N. E.)

que faz a guerra imperialista. Mas ele evita colocar a questão da classe dominante, questão obrigatória para um marxista, pois só a formulação dessa questão desmascararia o renegado.

Os kautskistas na Alemanha, os longuetistas na França e Turati e cia. na Itália raciocinam assim: o socialismo pressupõe a igualdade e a liberdade das nações, a sua autodeterminação; *portanto*, quando nosso país é atacado ou quando tropas inimigas invadem nosso território, os socialistas têm o direito e o dever de defender a pátria. Contudo, esse raciocínio é, do ponto de vista teórico, um escárnio completo em relação ao socialismo ou um subterfúgio fraudulento, e, do ponto de vista político e prático, esse raciocínio coincide com o pensamento de um mujiquezinho completamente ignorante que nem sequer sabe pensar no caráter social, de classe, da guerra nem nas tarefas do partido revolucionário durante a guerra reacionária.

O socialismo se opõe à violência contra as nações. Isso é indiscutível. Mas o socialismo se opõe, em geral, à violência contra as pessoas. No entanto, exceto os anarquistas cristãos e os tolstoístas, ninguém ainda deduziu daí que o socialismo é contra a violência *revolucionária*. Assim, falar de "violência" em geral, sem examinar as condições que diferenciam a violência reacionária da revolucionária, é ser um filisteu que renega a revolução ou simplesmente enganar-se e enganar os outros com sofismas.

O mesmo se pode dizer da violência contra as nações. Qualquer guerra consiste em violência contra as nações, mas isso não impede os socialistas de serem *a favor* da guerra revolucionária. O caráter de classe de uma guerra – essa é a questão fundamental que se coloca ante um socialista (se ele não é um renegado). A guerra imperialista de 1914-1918 é uma guerra entre dois grupos da burguesia imperialista pela partilha do mundo, pela partilha do saque, pela pilhagem e pelo estrangulamento das nações pequenas e fracas. Foi essa a apreciação da guerra feita pelo Manifesto de Basileia de 1912, foi essa a apreciação que os fatos confirmaram. Quem se afastar desse ponto de vista sobre a guerra não é socialista.

Se um alemão sob Guilherme ou um francês sob Clemenceau disser que tem o direito e o dever, como socialista, de defender a pátria se o inimigo invadir seu país, tal raciocínio não é de um socialista, de um internacionalista, de um proletário revolucionário, mas de um *filisteu nacionalista*. Isso porque nesse raciocínio desaparece a luta revolucionária de classe do operário contra o capital, desaparece a apreciação de *toda* a guerra em conjunto, do ponto de vista da burguesia mundial e do proletariado mundial, ou seja, desaparece o internacionalismo e fica um nacionalismo miserável e inveterado. Ofendem meu país, o resto não me importa: eis a que se reduz esse raciocínio, eis em que reside sua estreiteza nacionalista e filistina. É como se alguém raciocinasse assim em relação à violência individual contra uma pessoa: o socialismo é contra a violência, por isso prefiro cometer uma traição a parar na cadeia.

O francês, o alemão ou o italiano que disser que o socialismo se opõe à violência contra as nações, *por isso* se defende quando o inimigo invade seu país *trai* o socialismo e o internacionalismo. Pois esse homem *vê apenas* seu "país", coloca acima de tudo "sua"... *burguesia*, sem pensar nas *ligações internacionais* que tornam a guerra imperialista, que fazem de *sua* burguesia um elo na cadeia da rapina imperialista.

Todos os filisteus e todos os mujiquezinhos obtusos e ignorantes raciocinam exatamente como os renegados kautskistas, longuetistas, Turati e cia., a saber: o inimigo está em meu país, o resto não me importa*.

O socialista, o proletário revolucionário, o internacionalista, raciocina de modo diferente: o caráter da guerra (seja reacionária, seja revolucionária) não depende de quem atacou nem de em qual país se encontra o "inimigo", mas *de qual classe* conduz a guerra, de qual política essa guerra se mostra continuação. Se determinada guerra é uma guerra imperialista reacionária, ou seja, conduzida por dois grupos mundiais da burguesia imperialista, opressora, espoliadora e reacionária, qualquer burguesia (mesmo a de um pequeno país) se transforma em cúmplice da rapina, e minha tarefa, a tarefa de um representante do proletariado revolucionário, é preparar *a revolução*

* Os sociais-chauvinistas (os Scheidemann, os Renaudel, os Henderson, os Gompers e cia.) não querem ouvir falar da "Internacional" durante a guerra. Consideram os inimigos de "*sua*" burguesia "traidores"... ao socialismo. São *pela* política de conquista de *sua* burguesia. Os sociais-pacifistas (ou seja, socialistas em palavras e pacifistas filisteus na prática) expressam toda espécie de sentimentos "internacionalistas", protestam contra as anexações etc., mas *na prática* continuam a *sustentar sua* burguesia imperialista. Não é séria a diferença entre os dois tipos, assim como a diferença entre um capitalista que profere discursos raivosos e um capitalista que profere discursos adocicados.

proletária mundial como única salvação dos horrores da matança mundial. Não é do ponto de vista de "meu próprio" país que devo raciocinar (pois tal é o raciocínio de um estúpido miserável, de um filisteu nacionalista, que não compreende que é um fantoche nas mãos da burguesia imperialista), mas do ponto de vista de *minha participação* na preparação, na propaganda, na aproximação da revolução proletária mundial.

Eis o que é o internacionalismo, eis qual é a tarefa do internacionalista, do operário revolucionário, do verdadeiro socialista. Esse é o *alfabeto* de que o renegado Kautsky "se esqueceu". E sua renegação torna-se ainda mais evidente quando ele, depois de ter aprovado a tática dos nacionalistas pequeno-burgueses (mencheviques na Rússia, longuetistas na França, Turati na Itália, Haase e cia. na Alemanha), passa à crítica da tática bolchevique. Eis a crítica:

> A revolução bolchevique baseava-se na hipótese de que serviria de ponto de partida para a revolução europeia geral; de que a iniciativa audaciosa da Rússia incitaria os proletários de toda a Europa a erguerem-se.
> Com tal hipótese, era naturalmente indiferente que formas tomaria a paz separada russa, que sacrifícios e perdas territoriais [literalmente, mutilações ou estropiações, *Verstümmelungen*] traria ao povo russo, que interpretação daria à autodeterminação das nações. Então era também indiferente se a Rússia se mostrava ou não capaz de se defender. Desse ponto de vista, a revolução europeia era a melhor defesa da Revolução Russa, devia trazer a todos os povos do antigo território russo uma verdadeira e completa autodeterminação.
> A revolução na Europa, que traria o socialismo e o consolidaria, devia também tornar-se um meio para eliminar os obstáculos que o atraso econômico do país levantava à realização da produção socialista na Rússia.
> Tudo isso era muito lógico e bem fundado, desde que se admitisse uma hipótese fundamental: que a Revolução Russa devia desencadear infalivelmente a europeia. Mas e se, como é o caso, isso não acontece?
> Até agora não se confirmou essa hipótese. E agora acusam os proletários da Europa de terem abandonado e traído a Revolução Russa. É uma acusação contra desconhecidos, pois a quem se pode responsabilizar pela conduta do proletariado europeu? (p. 28)

E Kautsky mastiga adicionalmente que Marx, Engels e Bebel se enganaram muitas vezes a respeito da eclosão da revolução que esperavam, mas que nunca basearam sua tática na espera da revolução "*numa data determinada*" (p. 29), enquanto, segundo ele, os bolcheviques "jogaram tudo numa só carta, na da revolução europeia geral".

Reproduzimos deliberadamente uma citação tão longa para evidenciar ao leitor com que "habilidade" Kautsky falsifica o marxismo, substituindo-o por uma concepção filistina vulgar e reacionária.

Em primeiro lugar, atribuir ao adversário uma estupidez manifesta e depois refutá-la é procedimento de pessoas não muito inteligentes. Se os bolcheviques baseassem sua tática na espera da revolução noutros países *numa data determinada*, isso seria uma estupidez indiscutível. Mas o partido bolchevique não cometeu essa estupidez: em minha carta aos operários americanos (20 de agosto de 1918)[53] rejeito abertamente essa estupidez, dizendo que contamos com a revolução americana, mas não numa data determinada. Em minha polêmica contra os SRs de esquerda e os "comunistas de esquerda" (janeiro-março de 1918), desenvolvi repetidas vezes a mesma ideia. Kautsky fez uma pequena... uma pequeníssima falsificação, baseando nela sua crítica do bolchevismo. Kautsky confunde a tática que conta com a revolução europeia mais ou menos próxima, mas não em prazo determinado, e a tática que conta com a revolução europeia com prazo determinado. Uma pequena, uma pequeníssima fraude!

A segunda tática é uma estupidez. A primeira é *obrigatória* para um marxista, para todo proletário revolucionário e internacionalista; *obrigatória*, porque só ela leva corretamente em conta, de maneira marxista, a situação objetiva criada pela guerra em todos os países europeus, só ela responde às tarefas internacionais do proletariado.

Substituindo a grande questão dos fundamentos da tática revolucionária em geral pela pequena questão do erro que os revolucionários bolcheviques poderiam ter cometido, mas que não cometeram, Kautsky renunciou alegremente à tática revolucionária em geral!

Renegado em política, em teoria ele *não sabe sequer colocar a questão* das premissas objetivas da tática revolucionária.

[53] Ver Vladímir Ilitch Lênin, *Obras escolhidas em três tomos*, v. 2, cit., p. 669-79. (N. E.)

E aqui chegamos ao segundo ponto.

Em segundo lugar, é obrigatório para um marxista contar com a revolução europeia, se existe uma *situação revolucionária*. É uma verdade elementar do marxismo que a tática do proletariado socialista não pode ser a mesma quando existe uma situação revolucionária e quando ela não existe.

Se Kautsky tivesse colocado essa questão, obrigatória para um marxista, teria visto que a resposta era absolutamente contra ele. Muito antes da guerra, todos os marxistas, todos os socialistas, estavam de acordo com o fato de que a guerra europeia criaria uma situação revolucionária. Quando ainda não era um renegado, Kautsky o reconheceu clara e categoricamente, tanto em 1902 (*A revolução social*) quanto em 1909 (*O caminho para o poder*). O Manifesto de Basileia, em nome de toda a Segunda Internacional, reconheceu justamente isto: não é sem razão que os sociais-chauvinistas e os kautskistas (os "centristas", pessoas que vacilam entre os revolucionários e os oportunistas) de todos os países temem como o fogo as correspondentes declarações do Manifesto de Basileia!

Consequentemente, a espera de uma situação revolucionária na Europa não era um arrebatamento dos bolcheviques, mas a *opinião geral* de todos os marxistas. Se Kautsky elude essa verdade indiscutível com tais frases, de que os bolcheviques "sempre acreditaram na onipotência da violência e da vontade", trata-se justamente de uma frase vazia que *encobre* a fuga – e uma fuga vergonhosa – de Kautsky à formulação da questão da situação revolucionária.

Adiante. Deu-se ou não início, na prática, a uma situação revolucionária? Kautsky também não soube colocar essa questão. A ela respondem os fatos econômicos: a fome e a ruína, que a guerra criou em toda a parte, significam uma situação revolucionária. À questão colocada também respondem fatos políticos: já desde 1915 se manifesta claramente em *todos* os países um processo de cisão nos velhos e apodrecidos partidos socialistas, um processo de *afastamento das massas* do proletariado dos líderes sociais-chauvinistas em direção à esquerda, às ideias e ao estado de espírito revolucionário, aos líderes revolucionários.

Em 5 de agosto de 1918, quando Kautsky escreveu sua brochura, só uma pessoa que temesse a revolução e a traísse não veria esses fatos. E agora, no fim de outubro de 1918, a revolução cresce diante de nossos olhos, e com grande rapidez, em uma *série* de países da Europa. O "revolucionário" Kautsky, que deseja que o considerem marxista como antes, revelou-se um filisteu tão míope que – como os filisteus de 1847, ridicularizados por Marx – não viu a revolução que se aproxima!!!

Chegamos ao terceiro ponto.

Em terceiro lugar, quais são as particularidades da tática revolucionária, na condição de existir uma situação revolucionária europeia? Kautsky, tendo se tornado um renegado, teme colocar essa questão, obrigatória para um marxista. Kautsky raciocina como um típico filisteu pequeno-burguês ou como um camponês ignorante: começou a "revolução europeia geral" ou não? Se começou, *também ele* está disposto a se tornar revolucionário! Mas então – observaremos – qualquer canalha (como os miseráveis que por vezes se juntam agora aos bolcheviques vitoriosos) vai se declarar um revolucionário!

Senão, então Kautsky vira as costas à revolução! Kautsky não possui nem sombra de compreensão da verdade de que aquilo que distingue o marxista revolucionário do pequeno-burguês e do filisteu é saber *pregar* às massas ignorantes a necessidade da revolução que amadurece, *demonstrar* sua inevitabilidade, *explicar* sua utilidade para o povo, *preparar* para ela o proletariado e todas as massas de trabalhadores e explorados.

Kautsky atribuiu aos bolcheviques o absurdo de terem jogado tudo numa única carta, contando com que a revolução europeia começaria em um prazo determinado. Esse absurdo voltou-se contra Kautsky, porque dele decorre exatamente isto: a tática dos bolcheviques teria sido correta, se a revolução europeia tivesse começado a partir de 5 de agosto de 1918! É justamente a data que Kautsky menciona como sendo a da redação de sua brochura. E quando, no decorrer de algumas semanas depois desse 5 de agosto, tornou-se claro que a revolução tinha começado numa série de países europeus, toda a renegação de Kautsky, toda a sua falsificação do marxismo, toda a sua incapacidade de raciocinar revolucionariamente e mesmo de colocar as questões revolucionariamente se manifestaram de modo fascinante!

Quando se acusam de traição os proletários da Europa – escreve Kautsky –, é uma acusação contra desconhecidos.

Engana-se, sr. Kautsky! Olhe-se no espelho e verá os "desconhecidos" contra os quais é dirigida essa acusação. Kautsky faz-se ingênuo, finge não compreender *quem* lançou tal acusação e *qual é o sentido* dela. No entanto, na realidade, Kautsky sabe muito bem que essa acusação foi e é formulada pelas "esquerdas" alemãs, os spartakistas[54], Liebknecht e seus amigos. Essa acusação exprime *a clara consciência* de que o proletariado alemão cometeu uma traição à Revolução Russa (e internacional) quando estrangulou a Finlândia, a Ucrânia, a Letônia e a Estônia. Essa acusação é dirigida, antes de mais nada, e sobretudo, não contra a *massa*, sempre oprimida, mas contra os *líderes* que, como os Scheidemann e os Kautsky, *não cumpriram* seu dever de agitação revolucionária, de propaganda revolucionária, de trabalho revolucionário entre as massas contra sua inércia, que agiram de fato para *cortar o caminho* aos instintos e às aspirações revolucionárias sempre latentes na profundeza da massa de uma classe oprimida. Os Scheidemann traíram direta, grosseira e cinicamente o proletariado, na maior parte das vezes por motivos egoístas, e passaram para o lado da burguesia. Os kautskistas e os longuetistas fizeram o mesmo, vacilando, hesitando, olhando covardemente para os que naquele momento eram fortes. Durante a guerra, Kautsky, com todos os seus escritos, tentou *extinguir* o espírito revolucionário, em vez de o apoiar e desenvolver.

Ficará como um monumento simplesmente histórico da idiotice filistina do chefe "médio" da social-democracia oficial alemã o fato de Kautsky não compreender sequer o gigantesco significado *teórico* e a importância ainda maior para a agitação e a propaganda dessa "acusação" aos proletários da Europa de que traíram a Revolução Russa! Kautsky não compreende que essa "acusação" é – sob a censura do "Império" alemão – quase a única forma sob a qual os socialistas alemães que não traíram o socialismo, Liebknecht e seus amigos, expressam *seu apelo aos operários alemães* para se livrarem dos Scheidemann e dos Kautsky, para repelirem tais "líderes", para se libertarem de suas prédicas embrutecedoras e vulgares, para que se ergam *apesar* deles, *sem eles*, através deles, na revolução, *para a revolução*!

[54] Membros do "Spartakus", organização revolucionária dos sociais-democratas de esquerda alemães fundada no início da Primeira Guerra por personalidades como Karl Liebknecht e Rosa Luxemburgo. (N. E.)

Kautsky não entende isso. Como ele pode entender a tática dos bolcheviques? Seria possível esperar que uma pessoa que renuncia à revolução em geral pese e aprecie as condições de desenvolvimento da revolução num dos casos mais "difíceis"?

A tática dos bolcheviques era correta, era a única tática internacionalista, pois não se baseava no receio covarde da revolução mundial, numa "incredulidade" filistina em relação a ela, num desejo nacionalista estreito de defender "sua própria" pátria (a pátria de sua burguesia), "cuspindo" em todo o resto; ela se baseava num *cálculo* correto (reconhecido por todos antes da guerra, antes da renegação dos sociais-chauvinistas e dos sociais-pacifistas) da situação revolucionária europeia. Essa tática era a única internacionalista, pois fazia o máximo daquilo que era realizável em um só país *para* desenvolver, apoiar e despertar a revolução *em todos os países*. Essa tática foi justificada por um êxito enorme, pois o bolchevismo (de modo nenhum por força dos méritos dos bolcheviques russos, mas por força da mais profunda simpatia que por toda a parte as *massas* sentem por uma tática verdadeiramente revolucionária) tornou-se o bolchevismo *mundial*, deu uma ideia, uma teoria, um programa, uma tática, que se distinguem concretamente, na prática, do social-chauvinismo e do social-pacifismo. O bolchevismo *aplicou o golpe de misericórdia* na velha e apodrecida Internacional dos Scheidemann e dos Kautsky, dos Renaudel e dos Longuet, dos Henderson e dos MacDonald, que agora se atropelarão uns aos outros, sonhando com a "unidade" e tentando ressuscitar um cadáver. O bolchevismo *criou* as bases ideológicas e táticas da Terceira Internacional, realmente proletária e comunista, que tem em conta tanto as conquistas da época de paz como a experiência da época de revoluções que começou.

O bolchevismo popularizou em todo o mundo a ideia da "ditadura do proletariado", traduziu essas palavras primeiro do latim para o russo e depois para *todas* as línguas do mundo, mostrando com o exemplo do *poder dos sovietes* que os operários e os camponeses pobres, *mesmo* num país atrasado, mesmo os menos experientes, instruídos e habituados à organização, *foram capazes* de, durante um ano inteiro, no meio de gigantescas dificuldades, em luta contra os exploradores (que eram apoiados pela burguesia de *todo* o mundo), conservar o poder dos trabalhadores, de criar uma democracia infinitamente mais elevada e mais ampla que todas as democracias anteriores no mundo, de *iniciar* o trabalho criador de dezenas de milhões de operários e camponeses para a realização prática do socialismo.

O bolchevismo ajudou de fato tão poderosamente o desenvolvimento da revolução proletária na Europa e na América como nenhum outro partido em nenhum outro país conseguiu até agora ajudar. Ao mesmo tempo que, para os operários de todo o mundo, torna-se cada dia mais claro que a tática dos Scheidemann e dos Kautsky não os livrou da guerra imperialista nem da escravidão assalariada sob a burguesia imperialista, que essa tática não serve de modelo para todos os países – torna-se cada dia mais claro para as massas de proletários de todos os países que o bolchevismo indicou o caminho seguro para a salvação dos horrores da guerra e do imperialismo, que o bolchevismo *serve de modelo de tática para todos.*

A revolução proletária – não só de toda a Europa, mas mundial – amadurece a olhos vistos, e a vitória do proletariado na Rússia ajudou-a, acelerou-a e apoiou-a. Isso tudo é pouco para a vitória completa do socialismo? Naturalmente, é pouco. Um único país não pode fazer mais. Contudo, este único país, graças ao poder dos sovietes, fez tanto que, mesmo se amanhã o poder dos sovietes russo fosse esmagado pelo imperialismo mundial, suponhamos, por meio de um entendimento entre o imperialismo alemão e o anglo-francês, mesmo nesse caso, o pior dos piores, a tática bolchevique teria prestado um enorme serviço ao socialismo e teria apoiado o crescimento da invencível revolução mundial.

SERVILISMO À BURGUESIA SOB A APARÊNCIA DE "ANÁLISE ECONÔMICA"

Como já foi dito, o livro de Kautsky não deveria se chamar, caso o título traduzisse corretamente o conteúdo, *A ditadura do proletariado*, mas *Repetição dos ataques burgueses contra os bolcheviques.*

O nosso teórico volta agora a requentar as velhas "teorias" dos mencheviques sobre o caráter burguês da Revolução Russa, ou seja, a velha deturpação do marxismo pelos mencheviques (*repudiada* em 1905 por Kautsky!). Teremos que nos deter nessa questão, por mais entediante que ela seja para os marxistas russos.

A Revolução Russa é burguesa – diziam todos os marxistas da Rússia antes de 1905. Substituindo o marxismo pelo liberalismo, os mencheviques concluíam daqui: consequentemente, o proletariado não deve ir além daquilo que é aceitável para a burguesia, deve seguir uma política de conciliação com ela. Os bolcheviques diziam que isso era uma teoria liberal burguesa. A burguesia aspira a realizar a transformação do Estado à maneira burguesa, *de modo reformista*, não revolucionariamente, conservando tanto quanto possível a monarquia, a propriedade latifundiária da terra etc. O proletariado deve levar até o fim a revolução democrático-burguesa, sem se deixar "atar" pelo reformismo da burguesia. Os bolcheviques formulavam assim a correlação das forças *de classe* na revolução burguesa: o proletariado, atraindo para si o campesinato, neutraliza a burguesia liberal e destrói até o fim a monarquia, o medievalismo, a propriedade latifundiária da terra.

É precisamente na aliança do proletariado com o campesinato *em geral* que se manifesta o caráter burguês da revolução, porque os camponeses em geral são pequenos produtores, que existem na base da produção mercantil. Depois, acrescentavam, então, os bolcheviques, o proletariado, atraindo para si *todo o semiproletariado* (todos os explorados e trabalhadores), neutraliza o campesinato médio e *derruba* a burguesia: nisso consiste a revolução socialista, diferentemente da democrático-burguesa (conferir minha brochura de 1905 "Duas táticas"[55], reimpressa na coletânea *Em doze anos*, Petersburgo, 1907).

Kautsky participou indiretamente dessa discussão em 1905[56], tendo-se pronunciado, quando interpelado pelo então menchevique Plekhánov, no fundo *contra* Plekhánov, o que provocou muitas zombarias da imprensa bolchevique. Presentemente Kautsky não recorda *nem uma palavrinha* das

[55] Ver Vladímir Ilitch Lênin, *Duas táticas da social-democracia na revolução democrática* (São Paulo, Livramento, 1975). (N. E.)

[56] Referência ao artigo de Kautsky intitulado "As forças motoras e as perspectivas da revolução russa". (N. E.)

discussões de então (receia ser desmascarado pelas próprias declarações!) e priva, assim, o leitor alemão de qualquer possibilidade de compreender a essência da questão. O sr. Kautsky *não podia* dizer aos operários alemães em 1918 que em 1905 era a favor da aliança dos operários com os camponeses, e não com a burguesia liberal, nem em que condições defendia essa aliança, que programa projetava para esta aliança.

Tendo voltado atrás, Kautsky, sob a aparência de "análise econômica", com frases pretensiosas sobre o "materialismo histórico", defende agora a subordinação dos operários à burguesia, mastigando, com a ajuda de citações do menchevique Máslov, as velhas concepções liberais dos mencheviques; essas citações servem-lhe para demonstrar uma nova ideia sobre o atraso da Rússia, mas desta nova ideia retira a velha conclusão de que numa revolução burguesa não se pode ir mais longe que a burguesia! E isso apesar de tudo o que disseram Marx e Engels ao compararem a revolução burguesa de 1789-1793 na França com a revolução burguesa na Alemanha em 1848[57]!

Antes de passar ao "argumento" principal e ao conteúdo principal da "análise econômica" em Kautsky, notemos que logo as primeiras frases revelam uma curiosa confusão de ideias ou a ligeireza de ideias do autor:

"A base econômica da Rússia" – proclama o nosso "teórico" – "é até agora a agricultura e, concretamente, a pequena produção camponesa. Dela vivem cerca de quatro quintos, talvez mesmo cinco sextos da população" (p. 45). Em primeiro lugar, querido teórico, já pensou quantos exploradores pode haver entre essa massa de pequenos produtores? Naturalmente não mais de um décimo do total, e nas cidades menos ainda, porque lá a grande produção está mais desenvolvida. Ponha mesmo um número incrivelmente elevado, suponha que um quinto dos pequenos produtores é explorador que perde o direito de voto. E mesmo assim verá que os 66% de bolcheviques no V Congresso dos Sovietes representavam *a maioria da população*. A isso deve acrescentar-se ainda que uma parte considerável dos SRs de esquerda foi sempre pelo poder dos sovietes, ou seja, em princípio *todos* os socialistas-

[57] Ver Karl Marx, "Burguesia e contrarrevolução", em Karl Marx e Friedrich Engels, *Obras escolhidas*, v. 1, cit., p. 137-41. (N. E.)

-revolucionários de esquerda eram pelo poder dos sovietes, e quando uma parte dos SRs de esquerda se lançou na insurreição-aventura em julho de 1918, de seu antigo partido separaram-se dois partidos novos, o dos "comunistas populistas" e o dos "comunistas revolucionários" (entre eles destacados socialistas-revolucionários de esquerda, que já o antigo partido tinha nomeado para importantíssimos cargos do Estado; ao primeiro pertence, por exemplo, Zax, ao segundo Kolegáev). Por conseguinte, o próprio Kautsky refutou – sem querer! – a ridícula lenda de que os bolcheviques têm por si a minoria da população.

Em segundo lugar, querido teórico, já pensou que o pequeno produtor camponês vacila *inevitavelmente* entre o proletariado e a burguesia? Essa verdade marxista confirmada por toda a história moderna da Europa foi muito oportunamente "esquecida" por Kautsky, pois ela reduz a pó toda a "teoria" menchevique que ele repete! Se Kautsky não a tivesse "esquecido", não teria podido negar a necessidade da ditadura proletária num país em que predominam os pequenos produtores camponeses.

Examinemos o principal conteúdo da "análise econômica" de nosso teórico.

Que o poder dos sovietes é uma ditadura, isso é indiscutível, diz Kautsky. "Mas será uma ditadura do *proletariado*?" (p. 34)

> Segundo a Constituição soviética, os camponeses constituem a maioria da população com direito a participar da legislação e da administração. Aquilo que nos apresentam como ditadura do *proletariado* seria, se fosse realizado de um modo consequente e se uma só classe, falando em geral, pudesse exercer diretamente a ditadura, o que só é possível a um partido – seria uma ditadura do *campesinato*. (p. 35)

E, extraordinariamente satisfeito com tão profundo e espirituoso raciocínio, o bom Kautsky tenta ironizar: "Resultaria que a realização menos dolorosa do socialismo estaria assegurada quando fosse entregue nas mãos dos camponeses" (p. 35).

De maneira muito detalhada, com uma série de citações extraordinariamente doutas do semiliberal Máslov, nosso teórico procura demonstrar a nova ideia de que os camponeses estão interessados no alto preço dos cereais, nos baixos salários dos operários das cidades etc. etc. Essas ideias novas, diga-se a propósito, estão expostas de maneira tanto mais fastidiosa quanto menos atenção se concede aos fenômenos verdadeiramente novos do pós-guerra, por exemplo, ao fato de os camponeses exigirem pelos cereais mercadorias, não dinheiro; de que os camponeses não têm utensílios suficientes e não podem consegui-los na quantidade necessária a nenhum preço. Voltaremos a tratar especialmente disso adiante.

Assim, Kautsky acusa os bolcheviques, o partido do proletariado, de ter entregado a ditadura, entregado a causa da realização do socialismo, nas mãos do campesinato pequeno-burguês. Muito bem, sr. Kautsky! Qual deveria ser, segundo sua esclarecida opinião, a atitude do partido proletário em relação ao campesinato pequeno-burguês?

Sobre isso nosso teórico prefere se calar, talvez se recordando do provérbio: "Falar é prata, calar é ouro". Mas Kautsky traiu-se pelo seguinte raciocínio:

> No começo da República Soviética, os sovietes camponeses constituíam organizações do *campesinato* em geral. Agora essa república proclama que os sovietes constituem organizações de proletários e de camponeses *pobres*. Os abastados perdem o direito ao voto para os sovietes. O camponês pobre é considerado aqui um produto constante e maciço da reforma agrária socialista sob a "ditadura do proletariado". (p. 48)

Que ironia tão mordaz! Na Rússia, pode-se ouvi-la de qualquer burguês: todos eles rejubilam maldosamente e troçam do fato de a República Soviética reconhecer abertamente a existência de camponeses pobres. Riem do socialismo. É direito deles. Mas o "socialista" que ri do fato de que, depois de uma guerra de quatro anos extremamente ruinosa, perduram entre nós – e por muito tempo vão perdurar – os camponeses pobres, tal "socialista" só podia nascer num ambiente de renegação em massa.

Escutem a seguir:

> ... A República Soviética interfere nas relações entre camponeses ricos e pobres, mas não mediante uma nova distribuição da terra. Para remediar a escassez de pão dos habitantes das cidades, enviam-se para o campo destacamentos de operários armados que tiram aos camponeses ricos os excedentes de cereais. Uma parte desses cereais é entregue à população das cidades e outra aos camponeses pobres. (p. 48)

Evidentemente, o socialista e marxista Kautsky indigna-se profundamente perante a ideia de que tal medida possa estender-se para além dos arredores das grandes cidades (e na Rússia ela se estende a todo o país). O socialista e marxista Kautsky observa sentenciosamente, com inimitável, com incomparável, com admirável sangue-frio (ou estupidez) de filisteu: "... Elas (as expropriações dos camponeses abastados) introduzem um novo elemento de perturbação e de guerra civil no processo de produção..." (a guerra civil introduzida no "processo da produção" é já algo de sobrenatural!) "... que para seu saneamento necessita urgentemente de tranquilidade e segurança" (p. 49).

Sim, sim, a tranquilidade e a segurança para os exploradores e os especuladores de cereais, que escondem seus excedentes, sabotam a lei do monopólio dos cereais[58], reduzem à fome a população das cidades, devem, claro, arrancar suspiros e lágrimas ao marxista e socialista Kautsky. Todos nós somos socialistas e marxistas e internacionalistas – gritam em coro os srs. Kautsky, Heinrich Weber (Viena), Longuet (Paris), MacDonald (Londres) etc. –, todos somos pela revolução da classe operária, desde que... desde que não perturbe a tranquilidade nem a segurança dos especuladores de cereais! E encobrimos esse imundo servilismo perante os capitalistas com referências "marxistas" ao "processo de produção"... Se isso é marxismo, o que será servilismo perante a burguesia?

Vede ao que chega nosso teórico. Acusa os bolcheviques de fazerem passar a ditadura do campesinato pela ditadura do proletariado. E ao mesmo tempo acusa-nos de introduzirmos a guerra civil no campo (nós consideramos isso *mérito* nosso), de enviarmos para o campo destacamentos de operários armados, que proclamam abertamente que exercem "a ditadura do proletariado e do campesinato pobre", ajudam esse último, expropriam aos especuladores, aos camponeses ricos, os excedentes de cereais que eles ocultam em violação da lei do monopólio dos cereais.

Por um lado, nosso teórico marxista é pela democracia pura, pela subordinação da classe revolucionária, dirigente dos trabalhadores e explorados,

[58] Direito exclusivo do Estado à venda dos cereais e da farinha. (N. E.)

à maioria da população (incluindo, por conseguinte, também os explorado-res). Por outro lado, explica *contra* nós a inevitabilidade do caráter burguês da revolução, burguês porque o campesinato em seu conjunto se mantém no terreno das relações sociais burguesas e, ao mesmo tempo, tem a pretensão de defender o ponto de vista proletário, de classe, marxista!

Em vez de uma "análise econômica", mingau e confusão de primeira ordem. Em vez de marxismo, retalhos de doutrinas liberais e prédicas de servilismo perante a burguesia e perante os *kulaks*.

Já em 1905, os bolcheviques esclareceram completamente a questão enredada por Kautsky. Sim, nossa revolução é burguesa, *enquanto* caminhamos *junto* com o campesinato em *seu conjunto*. Tínhamos clara consciência disso, dissemos isso centenas e milhares de vezes desde 1905, nunca tentamos saltar esse degrau imprescindível do processo histórico nem tentamos aboli-lo com decretos. Os vãos esforços de Kautsky para nos "acusar" nesse ponto acusam apenas a confusão de suas concepções e seu receio de recordar o que escreveu em 1905, quando ainda não era um renegado.

No entanto, em 1917, desde *abril*, muito antes da Revolução de Outubro, antes da tomada do poder por nós, dissemos abertamente e explicamos ao povo: a revolução não pode agora deter-se a isso, pois o país foi adiante, o capitalismo caminhou adiante, a ruína atingiu proporções nunca vistas, o que *exigirá* (quer queira, quer não) passos adiante, em direção *ao socialismo*. Pois de outro modo *não é possível* avançar, salvar o país esgotado pela guerra, *aliviar* os sofrimentos dos trabalhadores e dos explorados.

As coisas passaram-se exatamente como tínhamos dito. O curso da revolução confirmou a justeza de nosso raciocínio. A *princípio*, juntamente com "todo" o campesinato contra a monarquia, contra os latifundiários, contra o medievalismo (e nessa medida a revolução continua a ser burguesa, democrático-burguesa). *Em seguida*, junto com o campesinato pobre, junto com o semiproletariado, junto com todos os explorados, *contra o capitalismo*, incluindo os camponeses ricos, os *kulaks*, os especuladores, e nessa medida a revolução torna-se *socialista*. Tentar erguer uma muralha da China, artificial, entre uma e outra, separar uma da outra de outro modo *que não seja* pelo grau de preparação do proletariado e o grau de sua união com os camponeses pobres, é a maior deturpação do marxismo, sua vulgarização, sua substituição pelo liberalismo. Isso significaria impingir, por meio de referências pseudocientíficas sobre o caráter progressista da burguesia em relação ao medievalismo, a defesa reacionária da burguesia em relação ao proletariado socialista.

Os sovietes, entre outras coisas, justamente porque constituem uma forma e um tipo de democratismo infinitamente superior, ao unir e arrastar para a política *a massa dos operários e dos camponeses*, são o barômetro mais próximo do "povo" (no sentido em que Marx falava em 1871 de verdadeira revolução popular[59]), o barômetro mais sensível do desenvolvimento e do crescimento da maturidade política, de classe, das massas. A Constituição soviética não foi escrita segundo um "plano" qualquer, não foi composta nos gabinetes, não foi imposta aos trabalhadores pelos juristas da burguesia. Não, essa constituição *nasceu* do curso de desenvolvimento da *luta de classes*, à medida que amadureciam *as contradições de classe*. Assim o demonstram precisamente os fatos que Kautsky se vê obrigado a reconhecer.

A princípio, os sovietes agrupavam o campesinato em seu conjunto. A falta de desenvolvimento, o atraso, a ignorância dos camponeses pobres colocaram a direção nas mãos dos *kulaks*, dos ricos, dos capitalistas e dos intelectuais pequeno-burgueses. Foi a época da dominação da pequena burguesia, dos mencheviques e dos socialistas-revolucionários (só estúpidos ou renegados como Kautsky podem considerar uns ou outros como socialistas). A pequena burguesia vacilava necessária e inevitavelmente entre a ditadura da burguesia (Keriénski, Kornílov, Sávinkov) e a ditadura do proletariado, pois a pequena burguesia é incapaz de qualquer independência, em consequência das características fundamentais de sua situação econômica. Diga-se a propósito que Kautsky repudia por completo o marxismo, limitando-se na análise da Revolução Russa ao conceito jurídico e formal de "democracia", de que a burguesia se serve para encobrir sua dominação e enganar as massas, e *esquecendo* que a "democracia" na prática exprime algumas vezes a *ditadura da burguesia* e outras o reformismo impotente da pequena burguesia

[59] Ver "Carta de Karl Marx a Ludwig Kugelmann em Hannover, 12 abr. 1871", em *A guerra civil na França*, cit., p. 208. (N. E.)

que se submete a essa ditadura etc. Segundo Kautsky, num país capitalista havia partidos burgueses, havia um partido proletário que leva a reboque a maioria do proletariado, sua massa (os bolcheviques), mas *não havia* partidos pequeno-burgueses! Os mencheviques e os SRs não tinham *raízes de classe*, raízes pequeno-burguesas!

As vacilações da pequena burguesia, dos mencheviques e dos SRs, esclareceram as massas e afastaram de tais "chefes" sua imensa maioria, todas as "camadas inferiores", todos os proletários e semiproletários. Os bolcheviques obtiveram o predomínio nos sovietes (por volta de outubro de 1917 em Petrogrado e Moscou), e entre os socialistas-revolucionários e mencheviques acentuou-se a cisão.

A revolução bolchevique vitoriosa significava o fim das vacilações, significava a completa destruição da monarquia e da propriedade latifundiária da terra (que *não tinha sido* destruída antes da Revolução de Outubro). Nós levamos *até o fim* a revolução *burguesa*. O campesinato seguiu atrás de nós *em seu conjunto*. Seu antagonismo em relação ao proletariado socialista não podia se manifestar em um único momento. Os sovietes agrupavam o campesinato *em geral*. A divisão de classe dentro do campesinato ainda não estava madura, ainda não se tinha manifestado exteriormente.

Esse processo se desenvolveu no verão e no outono de 1918. A insurreição contrarrevolucionária dos tchecoslovacos despertou os *kulaks*. Atravessou a Rússia uma onda de insurreições de *kulaks*. Não foi por livros, não foi por jornais, foi pela *vida* que o campesinato pobre aprendeu a incompatibilidade de seus interesses com os interesses dos *kulaks*, dos ricos, da burguesia rural. Os "SRs de esquerda", como qualquer partido pequeno-burguês, refletiam as vacilações das massas, e foi precisamente no verão de 1918 que eles se cindiram: uma parte juntou-se aos tchecoslovacos (insurreição em Moscou, quando Prochian, apoderando-se – durante uma hora! – do telégrafo, anunciou à Rússia a derrubada dos bolcheviques; depois a traição de Muraviov, comandante-chefe do exército lançado contra os tchecoslovacos etc.); outra parte, já mencionada, continuou com os bolcheviques.

A agudização da escassez de víveres nas cidades colocou com crescente acuidade a questão do monopólio dos cereais (coisa que o teórico Kautsky "esqueceu" em sua análise econômica, que repete coisas mais que sabidas há dez anos em Máslov!).

O velho Estado, latifundiário e burguês, e mesmo o democrático-republicano, enviava para o campo destacamentos armados que se encontravam de fato à disposição da burguesia. O sr. Kautsky não o sabe! Não vê nisso a "ditadura da burguesia", Deus nos livre! Isso é a "democracia pura", sobretudo se é aprovado pelo parlamento burguês! Sobre o fato de Avksiéntiev e S. Máslov, na companhia dos Keriénski, Tseretiéli e outros SRs e mencheviques, terem prendido no verão e no outono de 1917 membros dos comitês agrários, Kautsky "não ouviu falar", sobre isso se cala!

Toda a questão reside em que o Estado burguês, que exerce a ditadura da burguesia por meio de república democrática, não pode reconhecer perante o povo que serve a burguesia, não pode dizer a verdade, é obrigado a ser hipócrita.

Mas o Estado do tipo da Comuna, o Estado dos sovietes, diz aberta e francamente a *verdade* ao povo, declarando que é a ditadura do proletariado e do campesinato pobre, atraindo justamente com essa verdade dezenas e dezenas de milhões de novos cidadãos, embrutecidos sob qualquer república democrática, que são arrastados para a política, *para a democracia*, para a administração do Estado, pelos sovietes. A República Soviética envia para o campo destacamentos de operários armados, em primeiro lugar, na linha de frente, os mais avançados, das capitais. Esses operários levam o socialismo ao campo, atraem para seu lado os pobres, organizam-nos e esclarecem-nos, ajudam-nos a *reprimir a resistência da burguesia*.

Todos os que conhecem a situação e que estiveram no campo dizem que só no verão e no outono de 1918 nosso campo viveu *ele próprio* a Revolução "de Outubro" (ou seja, proletária). Produz-se uma viragem. A vaga de insurreições de *kulaks* cede lugar à ascensão dos camponeses pobres, ao crescimento dos "comitês de camponeses pobres". No exército, cresce o número de comissários provenientes dos operários, o número de oficiais provenientes dos operários, de comandantes de divisão e de exército provenientes dos operários. No momento em que o tonto Kautsky, assustado com a crise de julho (de 1918) e os gritos da burguesia, corre atrás dela servilmente e escreve toda uma brochura atravessada pela convicção de que os bolcheviques estão em vésperas de serem derrubados pelo campesinato, no momento em que esse tonto vê na defecção dos SRs de esquerda um "estreitamento" (p. 37) do círculo dos que apoiam os bolcheviques, nesse mesmo momento *cresce imensamente* o círculo *real* dos partidários do bolchevismo, pois dezenas e dezenas de milhões de camponeses pobres despertam para uma vida política *independente*, emancipando-se da tutela e da influência dos *kulaks* e da burguesia rural.

Perdemos centenas de SRs de esquerda, de intelectuais sem caráter e de camponeses *kulaks*, mas conquistamos milhões de representantes dos camponeses pobres*.

Um ano depois da revolução proletária nas capitais, começou, sob sua influência e com sua ajuda, a revolução proletária nos lugares mais remotos do campo, consolidando definitivamente o poder dos sovietes e o bolchevismo, demonstrando definitivamente que dentro do país não há forças contra ele.

Depois de ter levado a cabo a revolução democrática burguesa junto com o campesinato em geral, o proletariado da Rússia passou definitivamente à revolução socialista, quando conseguiu cindir o campo, atrair seus proletários e semiproletários, uni-los contra os *kulaks* e a burguesia, incluindo a burguesia camponesa.

Se o proletariado bolchevique das capitais e dos grandes centros industriais não tivesse unido em seu redor os camponeses pobres contra o campesinato rico, com isso, teria ficado demonstrado que a Rússia "não estava madura" para a revolução socialista, então o campesinato teria continuado a ser "um todo", ou seja, teria continuado sob a direção econômica, política e espiritual dos *kulaks*, dos ricos, da burguesia, então a revolução não teria saído dos limites da revolução democrático-burguesa. (Nem isso, diga-se entre parênteses, teria demonstrado que o proletariado não devia tomar o poder, pois só o proletariado levou efetivamente até o fim a revolução democrático-burguesa, só o proletariado fez algo de sério para aproximar a

* No VI Congresso dos Sovietes (6-9 de novembro de 1918) havia 967 deputados com voto deliberativo, 950 dos quais eram bolcheviques, e 351 com voto consultivo, dos quais 335 eram bolcheviques. Portanto, 97% de bolcheviques.

revolução proletária mundial, só o proletariado criou o Estado dos sovietes, o segundo passo, depois da Comuna, em direção ao Estado socialista.)

Por outro lado, se o proletariado bolchevique tivesse tentado de imediato, em outubro-novembro de 1917, sem ter sabido esperar a diferenciação de classes no campo, sem ter sabido *prepará-la* e *realizá-la*, se tivesse tentado "decretar" a guerra civil ou a "introdução do socialismo" no campo, se tivesse tentado passar sem o bloco (união) temporário com o campesinato em geral, sem uma série de concessões ao camponês médio etc., isso teria sido uma deturpação *blanquista* do marxismo, isso teria sido uma tentativa de uma *minoria* impor sua vontade à maioria, isso teria sido um absurdo teórico, uma incompreensão de que a revolução camponesa geral é *ainda* uma revolução burguesa e de que, sem *uma série de transições, de degraus transitórios*, não se pode fazer dela uma revolução socialista num país atrasado.

Na importantíssima questão teórica e política, Kautsky confundiu *tudo* e, na prática, revelou-se um simples servidor da burguesia, que grita contra a ditadura do proletariado.

* * *

Igual, senão maior, é a confusão introduzida por Kautsky em outra questão de maior interesse e maior importância; a saber, terá sido corretamente formulada em princípio, e depois racionalmente aplicada, a atividade *legislativa* da República Soviética sobre a transformação agrária, essa dificílima e ao mesmo tempo importantíssima transformação socialista? Ficaríamos infinitamente agradecidos a qualquer marxista europeu ocidental, se ele, depois de tomar conhecimento pelo menos dos documentos mais importantes, fizesse a *crítica* de nossa política, pois, desse modo, nos ajudaria extraordinariamente e ajudaria também a revolução que amadurece em todo o mundo. Contudo, em vez de crítica, Kautsky faz uma incrível confusão teórica que transforma o marxismo em liberalismo e que, na prática, não é mais que um conjunto de disparates filistinos, ocos e raivosos contra os bolcheviques. Que o leitor julgue:

A grande propriedade agrária não podia ser mantida. Esse fato deveu-se à revolução. Isso logo ficou claro. Não se podia deixar de entregá-la à população camponesa... [Está errado, sr. Kautsky: você coloca aquilo que lhe é "claro" no lugar da atitude das diversas *classes* em relação à questão; a história da revolução demonstrou que o governo de coalizão de burgueses com pequeno-burgueses, mencheviques e SRs conduzia uma política de manutenção da grande propriedade agrária. Demonstrou-o particularmente a lei de S. Máslov e as prisões de membros dos comitês agrários. Sem a ditadura do proletariado, a "população camponesa" não teria vencido o latifundiário aliado ao capitalista.] ... No entanto, não existia unidade quanto às formas como isso devia ser feito. Eram concebíveis diversas soluções... [Kautsky se preocupa, sobretudo, com a "unidade" dos "socialistas", sejam quais forem aqueles que assim se chamam. Ele esquece que as classes fundamentais da sociedade capitalista devem chegar a soluções diferentes.] ... Do ponto de vista socialista, o mais racional teria sido transformar as grandes empresas em propriedade do Estado e ceder aos camponeses, que até então estavam ocupados nelas como operários assalariados, o cultivo dos grandes domínios sob a forma de cooperativas. Essa solução, porém, pressupõe um tipo de operário agrícola que não existe na Rússia. Outra solução teria sido a transformação da grande propriedade agrária em propriedade do Estado, com sua divisão em pequenas parcelas entregues em arrendamento aos camponeses com pouca terra. Dessa maneira, teria se realizado algo do socialismo...

Kautsky se limita, como sempre, ao famoso: por um lado, não se pode deixar de confessar, por outro, é preciso reconhecer. Coloca *lado a lado* soluções diferentes, sem se deter à ideia – a única ideia real, a única marxista – de saber quais devem ser as fases de *transição* do capitalismo para o comunismo em tais ou quais condições *particulares*. Na Rússia, há operários agrícolas assalariados, mas são poucos, e Kautsky nem sequer toca na questão *colocada* pelo poder dos sovietes de como passar ao cultivo da terra em comunas e cooperativas. Ainda assim, o mais curioso é que Kautsky quer ver "algo de socialismo" na entrega de parcelas de terra aos camponeses em arrendamento. Na verdade, essa é uma palavra de ordem *pequeno-burguesa* e não tem *nada* "de socialismo". Se o "Estado" que dá terras em arrendamento *não* for um Estado do tipo da Comuna, mas uma república burguesa parlamentar (essa é justamente a hipótese constante de Kautsky), a entrega da terra em pequenas parcelas será uma *reforma liberal* típica.

Sobre o fato de o poder dos sovietes ter abolido *toda* a propriedade da terra, Kautsky se cala. Pior que isso. Ele realiza uma incrível escamoteação e cita decretos do poder dos sovietes de maneira a omitir o essencial.

Depois de declarar que "a pequena produção aspira à propriedade privada total dos meios de produção", que a Constituinte teria sido "a única autoridade" capaz de impedir a partilha (afirmação que provocará gargalhadas na Rússia, pois toda a gente sabe que operários e camponeses *só* reconhecem a autoridade dos sovietes, enquanto a Constituinte se tornou uma palavra de ordem dos tchecoslovacos e dos latifundiários), Kautsky continua:

> Um dos primeiros decretos do governo soviético estabelece: 1) a propriedade latifundiária é imediatamente abolida sem qualquer indenização; 2) os domínios dos latifundiários, assim como todas as terras dos apanágios, dos mosteiros, da Igreja, com todo o seu gado e alfaias, seus edifícios e todas as suas dependências, passam a ficar à disposição dos comitês agrários de *vólost*[60] e dos sovietes de deputados camponeses de *uiézd*, até que a Assembleia Constituinte resolva a questão da terra.

Depois de citar ***apenas esses dois pontos***, Kautsky conclui:

> A referência à Assembleia Constituinte permaneceu letra morta. De fato, os camponeses em determinados *vólosti* puderam fazer com a terra aquilo que quiseram. (p. 47)

Eis aí exemplos da "crítica" de Kautsky! Eis aí o trabalho "científico" que mais parece falsificação. Insinua-se ao leitor alemão que os bolcheviques capitularam perante o campesinato na questão da propriedade privada da terra! Que os bolcheviques deixaram os camponeses fazer ("em determinados *vólosti*") aquilo que queriam!

Mas, na realidade, o decreto citado por Kautsky – o primeiro decreto, promulgado em 26 de outubro de 1917 (velho estilo) – é composto não por dois artigos, mas por cinco, mais os oito artigos do "mandato"[61], e além disso sobre o mandato se diz que "deve servir como guia".

[60] Unidade administrativa territorial da Rússia, subdivisão do *uiézd*. (N. E.)

[61] No II Congresso dos Sovietes de toda a Rússia foi aprovado, em 26 de outubro (8 de novembro) de 1917, o Decreto sobre a Terra, que liquidava a propriedade latifundiária na Rússia e entregava a terra

No terceiro artigo do decreto se diz que as explorações passam "*para o povo*", que é obrigatório estabelecer "um registro preciso de todos os bens confiscados" e "proteger com o maior rigor revolucionário". E no mandato se diz que "é abolido para sempre o direito de propriedade privada sobre a terra", que "as terras com explorações altamente desenvolvidas" "*não serão submetidas a partilha*", que "todo o gado e alfaias das terras confiscadas passam sem indenização para usufruto exclusivo do Estado ou das comunidades, segundo suas proporções e sua importância", que "toda a terra passa para o fundo agrário de todo o povo".

Adiante, concomitantemente à dissolução da Assembleia Constituinte (5 de janeiro de 1918), o III Congresso dos Sovietes adotou a "*Declaração dos direitos* do povo trabalhador e explorado", incluída agora na Lei Fundamental da República Soviética. Nessa declaração, o artigo II, 1, diz que "está abolida a propriedade privada da terra" e que "as fazendas e empresas agrícolas-modelo são declaradas patrimônio nacional".

Consequentemente, a referência à Assembleia Constituinte *não* permaneceu letra morta, pois outra instituição nacional representativa, com infinitamente mais autoridade aos olhos dos camponeses, encarregou-se de resolver a questão agrária.

Depois, em 6 (19) de fevereiro de 1918, foi promulgada a lei da socialização da terra, que confirma uma vez mais a abolição de toda a propriedade da terra, colocando tanto a terra como *todo* o gado e alfaias *privados* à disposição das autoridades soviéticas, *sob o controle do poder soviético federal*; entre as tarefas dessa disposição da terra, figuram

> o desenvolvimento da exploração coletiva na agricultura, por ser mais vantajosa no sentido da economia do trabalho e dos produtos, à custa das explorações individuais, com o objetivo de passar à exploração socialista (art. 11, alínea *e*).

Introduzindo o usufruto *igualitário* da terra, essa lei, à pergunta fundamental "quem tem direito a usufruir da terra?", responde:

aos camponeses. No Decreto sobre a Terra foi incluído o "Mandato camponês sobre a terra", elaborado na base de 242 mandatos camponeses locais e incluindo a palavra de ordem dos socialistas-revolucionários de "usufruto igualitário da terra". (N. E.)

(Art. 20). Dentro da República Federativa Soviética da Rússia, podem usufruir da superfície de parcelas de terra para satisfazer necessidades públicas e pessoais: a) com fins educativos e culturais: 1) o Estado, na pessoa dos órgãos do poder dos sovietes (federal, regional, de *gubiérnia*, de *uiézd*, de *vólost* e de aldeia); 2) as organizações sociais (sob o controle e com a autorização do poder soviético local); b) para trabalhos agrícolas: 3) as comunas agrícolas; 4) as cooperativas agrícolas; 5) as comunidades rurais; 6) famílias e pessoas individuais...

O leitor vê que Kautsky deturpou completamente as coisas e apresentou ao leitor alemão sob uma forma completamente falsa a política agrária e a legislação agrária do Estado proletário na Rússia.

Kautsky nem sequer soube colocar as questões teoricamente importantes, fundamentais!

Essas questões são as seguintes:

1) usufruto igualitário da terra;

2) nacionalização da terra: relação de uma e outra dessas medidas com o socialismo em geral e com a passagem do capitalismo para o comunismo em particular;

3) cultivo da terra em comum como transição da pequena exploração fragmentária para a grande exploração coletiva; a forma como foi colocada essa questão na legislação soviética satisfará as exigências do socialismo?

Sobre a primeira questão, é necessário estabelecer, antes de mais nada, os dois fatos fundamentais seguintes: a) considerando a experiência de 1905 (refiro-me, por exemplo, a meu trabalho acerca da questão agrária na primeira Revolução Russa)[62], os bolcheviques assinalaram a importância democrático-progressista, democrático-revolucionária, da palavra de ordem do igualitarismo, e em 1917, *antes* da Revolução de Outubro, falaram disso de modo absolutamente definido; b) ao fazer aprovar a lei de socialização da terra – lei cuja "alma" é a palavra de ordem de usufruto igualitário da terra –, os bolcheviques declararam do modo mais preciso e definido: essa ideia não é nossa, não estamos de acordo com essa palavra de ordem, mas consideramos nosso dever fazê-la aprovar, pois é uma reivindicação da esmagadora

[62] Ver Vladímir Ilitch Lênin, *O programa agrário da social-democracia na primeira Revolução Russa de 1905-1907* (São Paulo, Ciências Humanas, 1980). (N. E.)

maioria dos camponeses. E a ideia e as reivindicações da maioria dos trabalhadores devem ser *superadas por eles mesmos*; não é possível "abolir" nem "saltar" tais reivindicações. Nós, bolcheviques, *ajudaremos* o campesinato a superar as palavras de ordem pequeno-burguesas, a *passar* rápida e facilmente dessas palavras de ordem para as socialistas.

Um teórico marxista que quisesse ajudar a revolução operária pela análise científica deveria responder, em primeiro lugar, se seria verdade que a ideia do usufruto igualitário da terra tem significado democrático-revolucionário, significado no sentido de levar até o fim a revolução democrática *burguesa*? Em segundo lugar, teriam os bolcheviques agido corretamente ao fazer aprovar com seus votos (e ao observar com a maior lealdade) a lei pequeno-burguesa do igualitarismo?

Kautsky não soube sequer *perceber* em que consiste, do ponto de vista teórico, a essência da questão!

Kautsky nunca teria conseguido refutar que a ideia do igualitarismo tem um significado progressista e revolucionário numa revolução democrático-burguesa. Essa revolução não pode ir adiante. Ao ir até o fim, ela revela com *maior clareza, rapidez e facilidade* às massas *a insuficiência* das soluções democrático-burguesas, a necessidade de sair de seu quadro, de passar ao *socialismo*.

O campesinato que derrubou o tsarismo e os latifundiários sonha com o igualitarismo, e não há força que possa deter os camponeses libertos tanto dos latifundiários como do Estado parlamentar-*burguês*, republicano. Os proletários dizem aos camponeses: nós os ajudaremos a chegar ao capitalismo "ideal", pois o usufruto igualitário da terra é a idealização do capitalismo do ponto de vista do pequeno produtor. E, ao mesmo tempo, indicaremos sua insuficiência, a necessidade de passar ao trabalho coletivo da terra.

Seria interessante ver como tentaria Kautsky refutar a justeza *dessa* direção da luta camponesa por parte do proletariado!

Kautsky preferiu evitar a questão...

Em seguida, Kautsky enganou os leitores alemães diretamente, escondendo-lhes que *na lei* sobre a terra o poder soviético deu preferência direta às comunas e às cooperativas, colocando-as em primeiro lugar.

Com o campesinato até o fim da revolução democrático-burguesa; com os camponeses pobres, a parte proletária e semiproletária do campesinato, rumo à revolução socialista! Tal foi a política dos bolcheviques, e era a única política marxista.

Ainda assim, Kautsky enreda-se, não conseguindo formular uma única questão! Por um lado, *não ousa* dizer que os proletários deviam ter se separado do campesinato na questão do igualitarismo, pois sente o absurdo de semelhante divergência (e, além disso, em 1905, Kautsky, quando ainda não era um renegado, defendia clara e diretamente a aliança dos operários e dos camponeses como condição da vitória da revolução). Por outro lado, ele cita com simpatia as vulgaridades liberais do menchevique Máslov, que "demonstra" o caráter utópico e reacionário da igualdade pequeno-burguesa *do ponto de vista do socialismo* e silencia o caráter progressista e revolucionário da luta pequeno-burguesa pela igualdade, pelo igualitarismo, *do ponto de vista da revolução democrática burguesa*.

Kautsky entrou numa confusão sem fim: notem que (em 1918) ele *insiste* no caráter *burguês* da Revolução Russa. Kautsky (em 1918) exige: não saiam desse quadro! E esse mesmo Kautsky vê "algo *de socialismo*" (para a revolução *burguesa*) na reforma *pequeno-burguesa* do arrendamento aos camponeses *pobres* de pequenas parcelas de terra (ou seja, na aproximação do igualitarismo)!!

Entenda quem puder!

Kautsky, acima de tudo, revela uma incapacidade filistina para ter em conta a política real de um determinado partido. Cita *frases* do menchevique Máslov, *sem querer ver* a política *real* do partido menchevique em 1917, quando ele, em "coligação" com os latifundiários e os KDs, defendia de fato *uma reforma agrária liberal e a conciliação com os latifundiários* (a prova: as prisões de membros dos comitês agrários e o projeto de lei de S. Máslov).

Kautsky não notou que as frases de P. Máslov sobre o caráter reacionário e utópico da igualdade pequeno-burguesa escondem na prática a política menchevique de *conciliação* dos camponeses com os latifundiários (ou seja, o engano dos camponeses pelos latifundiários), não a derrubada *revolucionária* dos latifundiários pelos camponeses.

Pois é um belo "marxista", esse Kautsky!

Justamente os bolcheviques que souberam distinguir com rigor a revolução democrática burguesa da socialista: levando até o fim a primeira, abriram a porta para a segunda. Essa é a única política revolucionária, a única política marxista.

E é em vão que Kautsky repete as sutilezas insípidas dos liberais: "Nunca ainda e em lugar nenhum os pequenos camponeses passaram à produção coletiva por influência da persuasão teórica" (p. 50).

Muito sutil!

Nunca e em lugar nenhum os pequenos camponeses de um grande país estiveram sob a influência de um Estado proletário.

Nunca e em lugar nenhum os pequenos camponeses chegaram a uma luta de classe aberta dos camponeses pobres contra os ricos, à guerra civil entre eles, *numa situação* em que os camponeses pobres tivessem o apoio propagandístico, político, econômico e militar do poder de Estado proletário.

Nunca e em lugar nenhum houve tão grande enriquecimento dos especuladores e dos ricos em consequência da guerra, com tão grande ruína da massa dos camponeses.

Kautsky repete velharias, rumina velharias mastigadas, temendo até mesmo pensar nas novas tarefas da ditadura proletária.

E se os camponeses, amado Kautsky, *não têm* instrumentos para a pequena produção e o Estado proletário os *ajuda* a conseguir máquinas para o trabalho coletivo da terra, será isso uma "persuasão teórica"?

Passemos à questão da nacionalização da terra. Nossos populistas, incluindo todos os SRs de esquerda, negam que a medida aplicada no país seja a nacionalização da terra. Estão teoricamente errados. Na medida em que permanecemos no quadro da produção mercantil e do capitalismo, a abolição da propriedade privada da terra é a nacionalização da terra. A palavra "socialização" exprime apenas uma tendência, um desejo, uma preparação da transição para o socialismo.

Qual deve ser, então, a atitude dos marxistas em relação à nacionalização da terra?

Nem aqui Kautsky sabe sequer colocar a questão teórica, ou – o que é pior – elude intencionalmente a questão, embora se saiba pela literatura russa que ele conhece as antigas discussões entre os marxistas russos sobre a questão da nacionalização da terra, sobre a municipalização da terra (entrega dos grandes domínios às autoadministrações locais), sobre a partilha.

É um claro escárnio do marxismo a afirmação de Kautsky de que a entrega dos grandes domínios ao Estado e o seu arrendamento em pequenas parcelas aos camponeses com pouca terra realizaria "algo de socialismo". Já apontamos que aqui não há nada de socialismo. Mais isso ainda é pouco: aqui não há sequer revolução *democrático-burguesa* levada até o fim. Kautsky teve a grande infelicidade de se fiar nos mencheviques. Disso resultou um fato curioso: *ele próprio*, que defende o caráter burguês da nossa revolução, que censura os bolcheviques porque tiveram a ideia de avançar para o socialismo, apresenta uma reforma liberal como socialismo, *sem levar essa reforma* à limpeza completa de todos os elementos medievais nas relações de propriedade agrária! Em Kautsky, como em seus conselheiros mencheviques, verifica-se a defesa da burguesia liberal, que teme a revolução, em vez da defesa de uma revolução democrático-burguesa consequente.

Com efeito, por que transformar em propriedade do Estado apenas os grandes domínios, e não todas as terras? A burguesia liberal consegue, assim, a máxima conservação do que é velho (ou seja, o mínimo de consequência na revolução) e a máxima facilidade para o retorno ao velho. A burguesia radical, ou seja, a que leva até o fim a revolução burguesa, coloca a palavra de ordem de *nacionalização da terra*.

Kautsky, que em tempos muito remotos, há quase vinte anos, escreveu um magnífico trabalho marxista sobre a questão agrária, não pode desconhecer as indicações de Marx de que a nacionalização da terra é precisamente uma palavra de ordem *consequente* da *burguesia*. Kautsky não pode desconhecer a polêmica entre Marx e Rodbertus[63] e as notáveis explicações de Marx nas *Teorias da mais valia*[64], em que mostra com particular evidência a importância revolucionária, no sentido democrático-burguês, da nacionalização da terra.

[63] Ver Friedrich Engels, "Prefácio da primeira edição", em Karl Marx, *O capital: crítica da economia política*, Livro II: *O processo de circulação do capital* (trad. Rubens Enderle, São Paulo, Boitempo, 2014), p. 79-100. (N. E.)

[64] Ver Karl Marx, *Teorias da mais valia: Adam Smith e a ideia do trabalho produtivo* (São Paulo, Global, 1980). (N. E.)

O menchevique P. Máslov, que Kautsky tão infelizmente escolheu como conselheiro, negava que os camponeses russos pudessem aceitar a nacionalização de toda a terra (incluindo a terra dos camponeses). Esse ponto de vista de Máslov podia até certo ponto estar ligado a sua teoria "original" (que repete os críticos burgueses de Marx); a saber, a negação da renda absoluta e o reconhecimento da "lei" (ou do "fato", como se exprimia Máslov) "da fertilidade decrescente do solo".

Na prática, já na Revolução de 1905 revelou-se que a imensa maioria dos camponeses da Rússia, tanto membros das comunidades quanto proprietários de suas parcelas, eram pela nacionalização de toda a terra. A Revolução de 1917 confirmou e, depois da passagem do poder para o proletariado, realizou isso. Os bolcheviques permaneceram fiéis ao marxismo, não procurando (apesar de Kautsky nos acusar disso sem sombra de provas) "saltar" por cima da revolução democrático-burguesa. Os bolcheviques, antes de tudo, ajudaram os ideólogos democrático-burgueses do campesinato que eram mais radicais, mais revolucionários, aqueles que estavam mais próximos do proletariado, ou seja, os SRs de esquerda, a realizar aquilo que era de fato a nacionalização da terra. A propriedade privada sobre a terra foi abolida na Rússia em 26 de outubro de 1917, ou seja, no primeiro dia da revolução proletária, socialista.

Com isso se criaram os fundamentos, os mais perfeitos do ponto de vista do desenvolvimento do capitalismo (Kautsky não poderá negá-lo sem romper com Marx) e, ao mesmo tempo, se criou o regime agrário *mais flexível* no sentido da passagem ao socialismo. Do ponto de vista democrático-burguês, o campesinato revolucionário da Rússia *não tinha como ir adiante*: desse ponto de vista *não pode haver* nada "mais ideal" que a nacionalização da terra e a igualdade do usufruto da terra, nada "mais radical" (do mesmo ponto de vista). Foram precisamente os bolcheviques, e só os bolcheviques, que, apenas em consequência da vitória da revolução *proletária*, ajudaram os camponeses a levar verdadeiramente até o fim a revolução democrático-burguesa. E só assim fizeram o máximo para facilitar e apressar a passagem à revolução socialista.

Por isso se pode julgar a incrível confusão que Kautsky oferece ao leitor quando acusa os bolcheviques de não compreenderem o caráter burguês da revolução e revela ele próprio um desvio do marxismo tal que *se cala* sobre a nacionalização da terra e apresenta a reforma agrária liberal, a menos revolucionária (do ponto de vista burguês), como "algo de socialismo"!

Chegamos aqui à terceira das questões colocadas, à questão de até que ponto a ditadura do proletariado na Rússia teve em conta a necessidade de passar ao trabalho coletivo da terra. Kautsky de novo comete aqui algo muito parecido com a falsificação: cita apenas as "teses" de um bolchevique, que falam da tarefa da passagem ao trabalho coletivo da terra! Depois de ter citado uma dessas teses, o nosso "teórico" exclama, vitorioso:

> O fato de certa coisa ser declarada como tarefa não resolve, infelizmente, a tarefa. A agricultura coletiva na Rússia está por agora condenada a permanecer no papel. Nunca ainda e em lugar nenhum os pequenos camponeses passaram à produção coletiva por influência da persuasão teórica. (p. 50)

Nunca ainda e em lugar nenhum houve uma fraude literária tal como aquela a que recorreu Kautsky. Cita as "teses", mas nada diz sobre a *lei* do poder dos sovietes. Fala de "persuasão teórica" e nada diz sobre o poder de Estado proletário, que tem nas mãos as fábricas e as mercadorias! Tudo o que o marxista Kautsky escreveu em 1899 em *A questão agrária* sobre os meios de que dispõe o Estado proletário para levar gradualmente os pequenos camponeses ao socialismo é esquecido pelo renegado Kautsky em 1918.

Claro que umas centenas de comunas agrícolas e de explorações soviéticas apoiadas pelo Estado (ou seja, de grandes explorações cultivadas por cooperativas de operários por conta do Estado) representam muito pouco. No entanto, por acaso, pode-se chamar a esse fato de "crítica" à evasão de Kautsky?

A nacionalização da terra aplicada na Rússia pela ditadura proletária garantiu da forma mais completa a realização da revolução democrático-burguesa até o fim, mesmo no caso de uma vitória da contrarrevolução fazer retroceder da nacionalização para a partilha (analisei especialmente esse caso em meu livro sobre o programa agrário dos marxistas na Revolução de 1905)[65]. Além disso, a nacionalização da terra deu ao Estado proletário as máximas possibilidades para passar ao socialismo na agricultura.

[65] Ver Vladímir Ilitch Lênin, *O programa agrário da social-democracia na primeira Revolução Russa de 1905-1907*, cit. (N. E.)

Em resumo: Kautsky nos oferece, teoricamente, uma incrível confusão, afastando-se por completo do marxismo, e na prática, o servilismo perante a burguesia e seu reformismo. Não há o que dizer: uma bela crítica!

***

Kautsky começa sua "análise econômica" da indústria com o magnífico raciocínio a seguir: a Rússia tem uma grande indústria capitalista. Não se poderia edificar sobre essa base a produção socialista?

> Assim se poderia pensar se o socialismo consistisse no fato de os operários das diferentes fábricas e minas as tornarem sua propriedade [literalmente: se apropriarem delas] para gerir a produção em cada uma das fábricas separadamente. (p. 52)

Acrescenta Kautsky:

> Justamente hoje, 5 de agosto, quando escrevo estas linhas chegam de Moscou notícias sobre um discurso de Lênin em 2 de agosto, no qual, segundo informam, ele disse: "Os operários, com firmeza, mantêm as fábricas em suas mãos, os camponeses não devolverão a terra aos latifundiários"[66]. A senha: a fábrica aos operários, a terra aos camponeses, foi até agora não um social-democrata, mas um anarcossindicalista. (p. 52-3).

Citamos na íntegra esse raciocínio para que os operários russos, que antes respeitavam Kautsky, e respeitavam com razão, vejam por si próprios os métodos desse desertor que passou para a burguesia.

Imaginem: em 5 de agosto, quando já existia uma quantidade de decretos sobre a nacionalização das fábricas na Rússia, e nenhuma só fábrica tinha sido "apropriada" pelos operários, mas *todas* tinham passado a ser propriedade da república, em 5 de agosto, Kautsky, com base em uma interpretação manifestamente fraudulenta de uma frase de um discurso meu, procura inculcar nos leitores alemães a ideia de que na Rússia se entregam as fábricas a operários em separado! E, depois disso, Kautsky, ao longo de dezenas e

[66] Ver Vladímir Ilitch Lênin, "Discurso num comício no bairro de Butirski", em *Obras completas*, v. 37 (2. ed., Moscou, Izdátchelstvo Politítcheskoi Literatury, 1969), p. 27-9. (N. E.)

dezenas de linhas, rumina que não se devem entregar as fábricas individualmente aos operários!

Isso não é uma crítica, mas um método de lacaio da burguesia, que foi contratado pelos capitalistas para caluniar a revolução operária.

As fábricas têm de passar para o Estado, ou para as comunidades, ou para as cooperativas de consumo, repete Kautsky uma e outra vez, até que por fim acrescenta:

"Esse é o caminho que agora se tentou seguir na Rússia..." Agora!!! O que isso significa? Em agosto? Kautsky não poderia encomendar a seus Stein, Akselrod ou outros amigos da burguesia russa que lhe traduzissem ao menos um decreto sobre as fábricas?

> ... Quão longe isso vai, ainda não se pode ver. Em todo caso, esse aspecto da República Soviética apresenta para nós o máximo interesse, mas continua inteiramente nas trevas. Não faltam decretos... [Por isso Kautsky ignora seu *conteúdo* ou esconde-o de seus leitores!], mas faltam informações de confiança sobre o efeito desses decretos. A produção socialista é impossível sem uma estatística completa, pormenorizada, de confiança e de informação rápida. Até agora a República Soviética não conseguiu criá-la. O que sabemos de suas atividades econômicas é extremamente contraditório e é impossível de confirmar. Este é também um dos resultados da ditadura e do esmagamento da democracia. Não há liberdade de imprensa nem de palavra... (p. 53)

Assim se escreve a história! Da "livre" imprensa dos capitalistas e dos partidários de Dútov teria Kautsky obtido dados sobre as fábricas transferidas para os operários... É na verdade magnífico esse "sério letrado" que se coloca acima das classes! Nenhum da infindável quantidade de fatos demonstrativos de que as fábricas são transferidas *unicamente* para a república, de que elas são geridas por um órgão de poder dos sovietes, o Soviete Supremo da Economia Nacional, composto predominantemente por delegados dos sindicatos dos operários – Kautsky nem quer tocar num só desses fatos. Com a obstinação do homem no estojo[67], repete teimosamente: deem-me

[67] Referência ao personagem do conto intulado "O homem no estojo", de Anton Tchékhov [ed. bras.: trad. Tatiana Belinky, São Paulo, Global, 1986]; representa o pequeno-burguês que teme qualquer novidade ou iniciativa. (N. E.)

uma democracia pacífica, sem guerra civil, sem ditadura, com uma boa estatística (a República Soviética criou um serviço de estatística, levando para ele os melhores estatísticos da Rússia, mas é claro que não se pode conseguir de imediato uma estatística ideal). Em resumo, aquilo que Kautsky exige é a revolução sem revolução, sem luta encarniçada, sem violência. É o mesmo que exigir greves sem a apaixonada luta entre operários e patrões. Quero ver distinguir semelhante "socialista" do vulgar funcionário liberal!

E, apoiando-se em tal "material factual", ou seja, eludindo intencionalmente, com todo o desprezo, os numerosíssimos fatos, Kautsky "encerra":

> É duvidoso que, no que se refere a verdadeiras conquistas práticas, não a decretos, o proletariado russo tenha conseguido na República Soviética mais do que teria obtido da Assembleia Constituinte, na qual, tal como os sovietes, predominavam os socialistas, embora de outro matiz. (p. 58)

Uma pérola, não é verdade? Aconselhamos os admiradores de Kautsky a difundir amplamente entre os operários russos essa máxima, porque Kautsky não poderia ter dado melhor material para a apreciação de sua decadência política. Keriénski também era "socialista", camaradas operários, só que "de outro matiz"! O historiador Kautsky contenta-se com um apelido, com um nome, de que se "apropriaram" os SRs de direita e os mencheviques! O historiador Kautsky não quer nem ouvir falar dos fatos, que dizem que, sob Keriénski, os mencheviques e SRs de direita apoiavam a política imperialista e a pilhagem da burguesia e passa discretamente em silêncio pelo fato de que a Assembleia Constituinte dava a maioria precisamente a esses heróis da guerra imperialista e da ditadura burguesa. E a isso se chama "análise econômica"...!

Para terminar, mais uma amostra de "análise econômica":

> ... Ao fim de nove meses de existência, a República Soviética, em vez de ter alargado o bem-estar geral, viu-se obrigada a explicar a que se deve a miséria geral. (p. 41)

Os KDs nos habituaram a esse gênero de raciocínio. Todos os lacaios da burguesia raciocinam assim na Rússia: nos deem, dizem eles, ao fim de nove meses o bem-estar geral – depois de quatro anos de guerra destruidora, com a ajuda múltipla do capital estrangeiro à sabotagem e às insurreições da burguesia na Rússia. *Na prática,* não existe absolutamente nenhuma diferença, nem sombra de diferença, entre Kautsky e o burguês contrarrevolucionário. Os discursos adocicados, disfarçados de "socialismo", repetem aquilo que dizem brutalmente, sem rodeios nem adornos, os partidários de Kornílov, de Dútov e de Krasnov na Rússia.

* * *

Estas linhas foram escritas em 9 de novembro de 1918. Na noite do dia 9 para o dia 10, recebemos da Alemanha notícias sobre o início vitorioso da revolução, primeiro em Kiel e em outras cidades do Norte e do litoral, onde o poder passou para os sovietes de deputados operários e soldados, e depois em Berlim, onde o poder também passou para as mãos de um soviete.

O encerramento que me restava escrever para a brochura sobre Kautsky e sobre a revolução proletária tornou-se supérfluo.

4. SOBRE A MILÍCIA PROLETÁRIA[1]

Aquela conclusão a que cheguei ontem[2] quanto à tática vacilante de Tchkheídze foi confirmada plenamente hoje, 10 (23) de março, por dois documentos. O primeiro é um comunicado telegrafado de Estocolmo ao *Jornal de Frankfurt*[3], do manifesto do Comitê Central (CC) de nosso partido, o Partido Operário Social-Democrata da Rússia, em Píter[4]. Nesse documento não há sequer uma palavra seja sobre o apoio ao governo de Gutchkov, seja sobre sua derrubada; operários e soldados são convocados a se organizar em torno do Soviete de Deputados Operários, a eleger nele representantes para lutar contra o tsarismo, pela república, pela jornada de trabalho de oito horas, pelo confisco das terras dos latifundiários e das reservas de cereal e, principalmente, pelo fim da guerra de rapina. É, sobretudo, importante e candente a ideia perfeitamente correta de nosso CC de que para a paz são necessárias relações com *os proletários de todos os países beligerantes*.

Esperar a paz de negociações e relações entre os governos burgueses seria autoengano e engano ao povo.

O segundo documento é uma notícia, também telegrafada de Estocolmo a outro jornal alemão (*Jornal de Voss*)[5], sobre uma reunião da fração de

[1] Este texto compõe a terceira carta do conjunto conhecido como "Cartas de longe", série de artigos escritos de Zurique, onde Lênin morava desde 1916, em março de 1917. Esta carta foi finalizada em 11 (24) de março de 1917 e publicada pela primeira vez na revista *Internacional Comunista*, n. 3-4, 1924. Esta versão foi traduzida pelas Edições Avante! com base em Vladímir Ilitch Lênin, *Pólnoie sobránie sotchiniéni*, v. 31 (5. ed., Moscou, Izdátchelstvo Polititcheskoi Literatury, 1969), p. 34-47. (N. E.)

[2] Referência à segunda das "Cartas de longe", intitulada "O novo governo e o proletariado", de 9 (22) de março de 1917. (N. E.)

[3] *Frankfurter Zeitung*, jornal alemão de publicação diária, circulou em Frankfurt de 1856 a 1943. (N. E.)

[4] Abreviação informal de São Petersburgo ou, como era à época chamada, Petrogrado. (N. T.)

[5] *Vossische Zeitung*, jornal alemão liberal, publicado em Berlim entre 1704 e 1934. (N. E.)

Tchkheídze na Duma com o grupo do trabalho (? *Arbeiterfraction*)[6] e com os representantes de quinze sindicatos operários em 2 (15) de março e sobre um chamado publicado no dia seguinte. Dos onze pontos desse chamado, o telégrafo expõe somente três: o primeiro, a reivindicação da república; o sétimo, a reivindicação da paz e do início imediato de negociações sobre a paz; e o terceiro, que reivindica "uma participação suficiente de representantes da classe operária russa no governo".

Se esse ponto foi exposto com fidelidade, compreendo por que a burguesia agora louva Tchkheídze. Compreendo por que ao louvor dos gutchkovistas ingleses no *Times*, que citei antes[7], juntou-se o louvor dos gutchkovistas franceses no *Le Temps*[8]. Esse jornal dos milionários e imperialistas franceses escreveu em 22 de março: "Os chefes dos partidos operários, particularmente o sr. Tchkheídze, empregam toda sua influência para moderar os desejos das classes trabalhadoras".

Na realidade, reivindicar a "participação" dos operários no governo de Gutchkov-Miliúkov é teórica e politicamente um absurdo: participar em minoria significaria ser um simples peão; participar "paritariamente" é impossível, pois não se pode conciliar a exigência de continuar a guerra com a exigência de concluir uma trégua e iniciar negociações de paz; para "participar" em maioria é preciso ter a força para *derrubar* o governo de Gutchkov-Miliúkov. Na prática, a reivindicação de "participação" é o pior dos blanquismos, ou seja, o esquecimento da luta de classes e de suas condições reais, o entusiasmo pelas frases sonoras e vazias, a propagação de ilusões entre os operários, perdendo em negociações com Miliúkov ou com Keriénski um tempo *precioso* que deveria ser utilizado para criar uma força de classe e revolucionária *real*, uma milícia proletária capaz de *inspirar confiança* a **todas** as camadas mais pobres da população, que constituem sua imensa maioria, de *ajudá-las a se organizar*, de *ajudá-las* a lutar pelo pão, pela paz, pela liberdade.

[6] Conforme original. (N. E.)

[7] Lênin novamente se refere à segunda carta, "O novo governo e o proletariado". (N. E.)

[8] Jornal diário liberal publicado em Paris de abril de 1861 a novembro de 1942. (N. E.)

Esse erro do chamado de Tchkheídze e de seu grupo (não digo do *partido* do CO, do Comitê de Organização, porque nas fontes a que tenho acesso não há nem uma palavra sobre o CO) –, esse erro é ainda mais estranho dado que, na reunião de 2 (15) de março, o correligionário mais próximo de Tchkheídze, Skóbelev, segundo informam os jornais, disse o seguinte: "A Rússia está às vésperas de uma segunda, de uma verdadeira (*wirklich*, literalmente: real) revolução".

Eis aí uma verdade da qual Skóbelev e Tchkheídze se esqueceram de tirar conclusões práticas. Não posso julgar daqui, de minha maldita distância, quão próxima está essa segunda revolução. Uma vez no local, Skóbelev pode ver melhor. É por isso que não me coloco questões para cuja resolução não tenho nem posso ter dados concretos. Destaco apenas, por uma "testemunha de fora", ou seja, que não pertence a nosso partido, por Skóbelev, a confirmação da conclusão *factual* a que cheguei na primeira carta, a saber: a Revolução de Fevereiro-Março foi apenas a *primeira etapa* da revolução. A Rússia atravessa um momento histórico peculiar de *transição* para a etapa seguinte da revolução ou, de acordo com a expressão de Skóbelev, para a "segunda revolução".

Se queremos ser marxistas e aprender com a experiência das revoluções de todo o mundo, devemos nos esforçar para compreender em que exatamente consiste a *peculiaridade* deste momento de *transição* e qual é a tática que decorre de suas particularidades objetivas.

A peculiaridade da situação consiste no fato de que o governo de Gutchkov-Miliúkov alcançou a primeira vitória com uma facilidade incomum graças a três importantíssimas circunstâncias: 1) a ajuda do capital financeiro anglo-francês e de seus agentes; 2) a ajuda de uma parte das camadas superiores do exército; 3) a organização já pronta de toda a burguesia russa nos *zemstvos*[9], nas instituições urbanas, na Duma de Estado[10], nos comitês industriais de guerra etc.

[9] Sistema de administração local autárquica introduzido no âmbito das reformas liberais de Alexandre II. (N. R. T.)

[10] Órgão legislativo instituído no final do tsarismo, tendo sido convocado quatro vezes entre 1906 e 1912. (N. E.)

O governo de Gutchkov se encontra metido numa morsa: amarrado pelos interesses do capital, é obrigado a visar à continuação da guerra de rapina e de roubo, à garantia dos monstruosos lucros do capital e dos latifundiários, à restauração da monarquia. Amarrado por sua origem revolucionária e pela necessidade de uma passagem brusca do tsarismo à democracia, encontrando-se sob a pressão das massas famintas e que demandam a paz, o governo é obrigado a mentir, a manobrar, a ganhar tempo, a "proclamar" e a prometer o máximo possível (promessas – única coisa que é muito barata até em época de furiosa carestia), assim como a cumprir o mínimo possível, a fazer concessões com uma das mãos e a retirá-las com a outra.

Em certas circunstâncias, no melhor dos casos para ele, o novo governo pode adiar um pouco sua queda apoiando-se em todas as capacidades organizativas de toda a burguesia e a *intelligentsia* burguesa russas. Mesmo nesse caso, porém, ele *não tem condições* de evitar a queda, porque é **impossível** escapar às garras do monstro horrível da guerra imperialista e da fome, gerado pelo capitalismo mundial, sem abandonar o terreno das relações burguesas, sem passar a medidas revolucionárias, sem apelar ao imenso heroísmo histórico do proletariado russo e mundial.

Daí a conclusão: não poderemos derrubar de um só golpe o novo governo ou, se pudermos fazê-lo (em tempos revolucionários, os limites do possível alargam-se mil vezes), não poderemos conservar o poder *sem contrapor* à magnífica organização de toda a burguesia russa e de toda a *intelligentsia* burguesa uma *organização do proletariado* igualmente magnífica, que dirija toda a massa imensa dos pobres da cidade e do campo, do semiproletariado e dos pequenos proprietários.

Tanto faz se a "segunda revolução" já eclodiu em Píter (disse que seria completamente absurda a ideia de avaliar do exterior o ritmo concreto de seu amadurecimento), se foi adiada por algum tempo ou se começou já em alguns lugares isolados da Rússia (parecem existir algumas indicações disso) – em *qualquer* caso, a palavra de ordem do momento, tanto às vésperas da nova revolução como durante e no dia seguinte a ela, deve ser a *organização proletária*.

Camaradas operários! Ontem vocês realizaram prodígios de heroísmo proletário ao derrubar a monarquia tsarista. Inevitavelmente, num futuro mais ou menos próximo (talvez até já esteja acontecendo agora, enquanto escrevo estas linhas), vocês terão de realizar novamente prodígios do mesmo heroísmo para derrubar o poder dos latifundiários e dos capitalistas, dos que travam a guerra imperialista. Vocês não poderão *vencer de maneira duradoura* nessa próxima revolução, "verdadeira", se não realizarem *prodígios de organização proletária*!

A palavra de ordem do momento é: organização. Limitar-se a isso, porém, ainda seria não dizer nada, pois, por um lado, a organização é *sempre* necessária, ou seja, a simples indicação da necessidade de "organizar as massas" ainda não explica absolutamente nada; por outro, quem se limitasse a isso seria a segunda voz dos liberais, porque os *liberais* querem **precisamente**, para reforçar seu domínio, que os operários *não vão além* das organizações **habituais**, "legais" (do ponto de vista da sociedade burguesa "normal"), ou seja, que os operários apenas se inscrevam em seu partido, em seu sindicato, em sua cooperativa etc. etc.

Com seu instinto de classe, os operários compreenderam que, em tempo de revolução, precisam de uma organização completamente diferente, *não apenas* da organização habitual; tomaram corretamente o caminho apontado pela experiência da nossa Revolução de 1905 e da Comuna de Paris de 1871[11], criaram o *Soviete de Deputados Operários*, começaram a desenvolvê-lo, alargá-lo e reforçá-lo, atraindo deputados dos *soldados* e, sem dúvida, deputados dos operários agrícolas *assalariados* e, depois (de uma forma ou de outra), de todos os camponeses pobres.

A criação de semelhantes organizações em todas as localidades da Rússia, sem exceção, para todas as profissões e todas as camadas da população proletária e semiproletária, sem exceção, ou seja, todos os trabalhadores e explorados – para empregar uma expressão economicamente menos precisa, porém mais popular –, é uma tarefa de primeira e inadiável importância. Antecipando-me, assinalarei que, para toda a massa camponesa, nosso

[11] Ver, neste volume, p. 187. (N. E.)

partido (espero falar numa das cartas seguintes sobre seu papel *particular* nas organizações proletárias de novo tipo) deve recomendar, sobretudo, sovietes dos operários assalariados e dos pequenos agricultores que não vendem cereal, *separados dos* camponeses abastados: sem essa condição, não se pode aplicar uma política verdadeiramente proletária em geral* nem abordar corretamente a mais importante questão prática, de vida ou de morte para milhões de pessoas: o correto contingenciamento dos *cereais*, o aumento de sua produção etc.

No entanto, pergunta-se, o que devem fazer os Sovietes de Deputados Operários? "Devem ser encarados como órgãos da insurreição, como órgãos do poder revolucionário", escrevemos nós no n. 47 do Социал-Демократа/ *Sotsial-Demokrat* [Social-democrata], de Genebra, em 13 de outubro de 1915.

Essa proposição teórica, deduzida da experiência da Comuna de 1871 e da Revolução Russa de 1905, deve ser esclarecida e desenvolvida de modo mais concreto com base nas indicações práticas justamente da etapa presente da revolução atual na Rússia.

Nós precisamos de um *poder* revolucionário, precisamos (durante certo período de transição) de um *Estado*. É nisso que nos distinguimos dos anarquistas. A diferença entre os marxistas revolucionários e os anarquistas consiste não só no fato de que os primeiros são pela grande produção comunista centralizada, enquanto os segundos pela pequena produção dispersa. Não, a diferença justamente na questão do poder, do Estado, consiste no fato de que somos *pela* utilização revolucionária das formas revolucionárias de Estado para lutar pelo socialismo, enquanto os anarquistas são *contra*.

Nós precisamos de um Estado. Mas precisamos *não deste* Estado que a burguesia criou em toda a parte, a começar por monarquias constitucionais e terminar por repúblicas mais democráticas. E é nisso que consiste nossa diferença em relação aos oportunistas e aos kautskistas dos velhos partidos

* No campo, agora se desenvolverá uma luta pelo pequeno campesinato e, em parte, pelo médio campesinato. Os latifundiários, apoiando-se nos camponeses abastados, tentarão conduzi-los a subordinar-se à burguesia. Nós devemos, apoiando-nos nos operários assalariados agrícolas e nos pobres, conduzi-los à mais estreita aliança com o proletariado das cidades.

socialistas, que começaram a apodrecer, que deturparam ou esqueceram as lições da Comuna de Paris e a análise dessas lições por Marx e Engels*[12].

Nós precisamos de um Estado, mas *não* deste de que precisa a burguesia, com organismos de poder apartados do povo e opostos ao povo, na forma da polícia, do exército, da burocracia (funcionários). Todas as revoluções burguesas apenas aperfeiçoaram **esta** máquina estatal, apenas *a* transferiram das mãos de um partido para as mãos de outro partido.

Já o proletariado, se quiser defender as conquistas da presente revolução e avançar, conquistar a paz, o pão e a liberdade, tem de "**demolir**", para usar as palavras de Marx, esta máquina estatal "pronta" e substituí-la por uma nova, *fundindo* a polícia, o exército e a burocracia com *todo o povo armado*. Seguindo a via apontada pela experiência da Comuna de Paris de 1871 e da Revolução Russa de 1905, o proletariado deve organizar e armar *todos* os setores mais pobres e explorados da população, para que tomem *eles próprios* diretamente em suas mãos os órgãos do poder de Estado, *constituam eles próprios* as instituições desse poder.

E os operários da Rússia, ainda no período da primeira etapa da primeira revolução, em fevereiro-março de 1917, *tomaram* essa via. Toda a tarefa consiste agora em compreender claramente qual é essa nova via, a fim de avançar por ela com audácia, firmeza e tenacidade.

Os capitalistas anglo-franceses e russos queriam "apenas" afastar, ou mesmo "assustar", Nicolau II, mantendo intactos a velha máquina de Estado, a polícia, o exército, o funcionalismo.

* Numa das cartas seguintes ou num artigo à parte, abordarei em detalhes essa análise, feita, em particular, em *A guerra civil na França*, de Marx, no prefácio de Engels à terceira edição dessa obra, nas cartas de Marx de 12 de abril de 1871 e de Engels de 18-28 de março de 1875, e também na completa deturpação do marxismo por Kautsky em sua polêmica de 1912 contra Pannekoek sobre a questão da chamada "destruição do Estado".

[12] Ver Karl Marx, *A guerra civil na França* (trad. Rubens Enderle, São Paulo, Boitempo, 2011); Friedrich Engels, "Introdução à *Guerra civil na França*, de Karl Marx (1891)", em Karl Marx, *A guerra civil na França*, cit., p. 187-97; carta de Karl Marx a Ludwig Kugelmann em Hannover, 12 abr. 1871, em *A guerra civil na França*, cit., p. 207-8; carta de Friedrich Engels a August Bebel, 18/28 mar. 1875, em Karl Marx, *Crítica do Programa de Gotha* (trad. Rubens Enderle, São Paulo, Boitempo, 2012), p. 51-9; e Vladímir Ilitch Lênin, *O Estado e a revolução: a doutrina do marxismo sobre o Estado e as tarefas do proletariado na revolução* (trad. Avante!, São Paulo, Boitempo, 2017), p. 139-48. (N. E.)

Os operários avançaram e destruíram-na. E agora não só os capitalistas anglo-franceses, mas também os alemães, *uivam* de raiva e horror ao ver, por exemplo, como os soldados russos fuzilaram seus oficiais, como aconteceu com o almirante Nepénin, partidário de Gutchkov e Miliúkov.

Eu disse que os operários destruíram-na, a velha máquina de Estado. Mais precisamente: *começaram* a destruí-la.

Tomemos um exemplo concreto.

A polícia foi em parte exterminada e em parte varrida, em Píter e em muitos outros lugares. O governo de Gutchkov e Miliúkov *não poderá* restaurar a monarquia nem se manter em geral no poder *sem reconstituir* a polícia como organização especial, apartada do povo e a ele oposta, de pessoas armadas que se encontram sob o comando da burguesia. Está claro como a luz do dia.

Por outro lado, o novo governo precisa considerar o povo revolucionário, alimentá-lo com semiconcessões e promessas, e ganhar tempo. Por isso recorre a uma meia medida: institui uma "milícia popular" com chefes eleitos (isso soa de modo assombrosamente decente! Assombrosamente democrático, revolucionário e bonito!) – *mas... mas*, em primeiro lugar, coloca-a sob o controle, sob as ordens dos *zemstvos* e dos órgãos urbanos de autoadministração, ou seja, sob as ordens de latifundiários e capitalistas eleitos de acordo com leis de Nicolau, o *Sanguinário*, e de Stolípin, o *Enforcador*!! Em segundo lugar, ao mesmo tempo que chama de "popular" a milícia, para jogar areia nos olhos do "povo", *na prática* não convoca o povo, *cabeça por cabeça*, a participar dessa milícia *nem obriga* os patrões e os capitalistas a *pagar* aos empregados e aos operários o salário habitual *pelas horas e pelos dias* que eles dedicam ao *serviço social*, ou seja, à milícia.

E eis aqui o xis da questão. Eis por que meios o governo latifundiário e capitalista dos Gutchkov e Miliúkov busca manter no papel a "milícia popular", enquanto na prática vai sendo restaurada aos poucos, silenciosamente, uma milícia *burguesa*, antipopular, no começo formada por "8 mil estudantes e professores universitários" (é assim que os jornais estrangeiros descrevem a atual milícia de Píter) – é explicitamente um brinquedo! – e depois, paulatinamente, pela velha e a nova *polícia*.

Não permitir que se restaure a polícia! Não tirar as mãos do poder local! Criar uma milícia realmente de todo o povo, da população geral, dirigida pelo proletariado! – eis a tarefa do dia, eis a palavra de ordem do momento, que corresponde de igual modo tanto aos interesses corretamente entendidos da luta de classes ulterior, do movimento revolucionário ulterior, como ao instinto democrático de qualquer operário, de qualquer camponês, de qualquer trabalhador e de qualquer pessoa explorada, que não pode não odiar a polícia, os guardas, os polícias rurais, o comando dos latifundiários e dos capitalistas sobre as pessoas armadas, que obtêm poder sobre o povo.

De que polícia precisam *eles*, os Gutchkov e os Miliúkov, os latifundiários e capitalistas? Daquela mesma que havia na monarquia tsarista. *Todas* as repúblicas burguesas e democráticas burguesas do mundo organizaram ou reconstituíram, depois de brevíssimos períodos revolucionários, *precisamente essas* polícias, uma organização especial de homens armados separados do povo e opostos a ele, subordinados de uma forma ou de outra à burguesia.

De que milícia precisamos nós, o proletariado, todos os trabalhadores? De uma milícia realmente *popular*, ou seja, em primeiro lugar, constituída pela população *cabeça a cabeça*, por todos os cidadãos adultos de *ambos* os sexos, e, em segundo lugar, de uma milícia que combine em si a função de exército popular com as funções de polícia, com as funções de órgão principal e fundamental da ordem pública e da administração estatal.

Para tornar essas proposições mais compreensíveis, tomarei um exemplo puramente esquemático. Nem é preciso dizer que seria absurda a ideia de elaborar qualquer "plano" de milícia proletária: quando os operários e todo o povo se lançarem como verdadeira massa ao trabalho de modo prático, eles vão elaborá-la e organizá-la cem vezes melhor que quaisquer teóricos. Não proponho um "plano", quero apenas ilustrar minha ideia.

Em Píter, há cerca de 2 milhões de habitantes. Destes, mais de metade têm de 15 a 65 anos. Tomemos metade – 1 milhão. Vamos até subtrair um quarto de doentes etc., que não participam no presente momento do serviço social por causas justificadas. Restam 750 mil pessoas que, trabalhando na milícia, suponhamos, um dia em cada quinze (e continuando a receber salário dos patrões durante esse tempo) constituiriam um exército de 50 mil pessoas.

Eis *o tipo* de "Estado" de que precisamos!

Eis a milícia que seria na prática, e não apenas em palavras, a "milícia popular".

Eis o caminho que devemos seguir para que *seja impossível* restaurar uma polícia especial ou um exército especial apartado do povo.

Essa milícia seria constituída de 95% de operários e camponeses, exprimiria *de fato* a inteligência e a vontade, a força e o poder da imensa maioria do povo. Essa milícia de fato armaria e ensinaria a arte militar a todo o povo, salvaguardando, *não* à maneira de Gutchkov, *não* à maneira de Miliukov, contra quaisquer tentativas de restauração da reação, quaisquer maquinações dos agentes tsaristas. Essa milícia seria o órgão executivo dos "sovietes de deputados operários e soldados", gozaria do respeito e da confiança *absolutos* da população, porque ela própria seria uma organização de toda a população. Essa milícia transformaria a democracia de bela etiqueta encobrindo a escravização do povo pelos capitalistas e o escárnio do povo pelos capitalistas em verdadeira *educação das massas* para a participação em *todos* os assuntos estatais. Essa milícia incluiria os jovens na vida política, ensinando-os não só pelas palavras, mas pelos atos, pelo *trabalho*. Essa milícia desenvolveria as funções que, falando em linguagem científica, dizem respeito à "polícia do bem-estar", à vigilância sanitária etc., recrutando para esse trabalho todas as mulheres adultas. E sem incluir as mulheres no serviço social, na milícia, na vida política, sem arrancar as mulheres de seu ambiente embrutecedor da casa e da cozinha, é *impossível* assegurar uma verdadeira liberdade, é *impossível* constituir até mesmo a democracia, quanto mais o socialismo.

Essa milícia seria uma milícia proletária, porque os operários industriais e urbanos ganhariam influência dirigente sobre a massa de pobres do mesmo modo natural e inevitável que ocuparam o lugar dirigente em toda a luta revolucionária do povo, tanto em 1905-1907 quanto em 1917.

Essa milícia asseguraria uma ordem absoluta e uma disciplina devotada baseada na camaradagem. E, ao mesmo tempo, na dura crise vivida por todos os países beligerantes, daria a possibilidade de lutar de modo realmente democrático contra essa crise, de realizar correta e rapidamente o contingenciamento do cereal e dos demais suprimentos, de aplicar o "trabalho obrigatório geral", que os franceses agora chamam de "mobilização cívica" e os alemães, de "serviço cívico obrigatório", e sem o qual é impossível – *verificou-se que é impossível* – curar as feridas que a guerra bandidesca e terrível causou e continua a causar.

Será que o proletariado da Rússia derramou seu sangue só para receber exuberantes promessas de reformas políticas democráticas? Será que ele não vai exigir e conseguir que *cada* trabalhador veja e sinta *imediatamente* certa melhoria de sua vida? Que cada família tenha pão? Que cada criança tenha uma garrafa de bom leite e que nenhum adulto de uma família rica ouse consumir leite extra enquanto as crianças não estiverem abastecidas? Que os palácios e os bairros ricos, abandonados pelo tsar e pela aristocracia, não fiquem desocupados, mas deem abrigo às pessoas sem teto e sem posses? Quem pode realizar essas medidas, senão uma milícia de todo o povo com a indispensável participação das mulheres em igualdade com os homens?

Essas medidas ainda *não são* socialismo. Dizem respeito ao contingenciamento do consumo, não à reorganização da produção. Ainda não seriam a "ditadura do proletariado", apenas a "ditadura democrática revolucionária do proletariado e do campesinato pobre". Não se trata agora de classificá-las teoricamente. Seria um enorme erro se nos puséssemos a enfiar as tarefas práticas da revolução, complexas, urgentes e em rápido desenvolvimento, no leito de Procusto de uma "teoria" estreitamente entendida, em vez de ver na teoria, antes e acima de tudo, *um guia* **para a ação**.

Haverá, na massa dos operários russos, consciência, firmeza e heroísmo suficientes para realizar "prodígios de organização proletária" depois de ter realizado na luta revolucionária direta prodígios de coragem, iniciativa, abnegação? Não sabemos, e seria inócuo especular sobre isso, pois respostas a essas perguntas serão dadas *somente* pela prática.

Aquilo que sabemos com certeza e aquilo que nós, como partido, devemos explicar às massas é que existe, por um lado, um motor histórico de enorme força, que gera uma crise sem precedentes, a fome, incontáveis calamidades. Esse motor é a guerra travada pelos capitalistas de *ambos* os campos beligerantes com fins de pilhagem. Esse "motor" conduziu toda uma série de nações mais ricas, mais livres e mais instruídas à beira do precipício. Ele *obriga* os povos a pôr em tensão, até o extremo, todas as suas forças, põe--nos numa situação insuportável, põe na ordem do dia não a realização de quaisquer "teorias" (nem sequer se pode falar disso, e Marx sempre preveniu os socialistas contra isso), mas a aplicação das medidas mais extremas praticamente possíveis, pois *sem* medidas extremas há a morte, a morte de fome, imediata e certa de milhões de pessoas.

Que o entusiasmo revolucionário da classe avançada pode *muito* em condições em que a circunstância objetiva *exige* medidas extremas a todo o povo não é preciso provar. *Esse* aspecto da questão é claramente observado e *sentido* por todos na Rússia.

É importante entender que, em tempos revolucionários, a situação objetiva muda tão rápida e bruscamente quanto rapidamente corre a vida em geral. E nós devemos *saber adaptar* nossa tática e nossas tarefas imediatas às *particularidades* de cada situação. Antes de fevereiro de 1917, o que estava na ordem do dia era a propaganda revolucionária internacionalista corajosa, o chamado às massas para a luta, seu despertar. Nas jornadas de fevereiro-março, exigia-se o heroísmo da luta abnegada para esmagar quanto antes o inimigo imediato – o tsarismo. Agora atravessamos a *transição* dessa primeira etapa da revolução para a segunda, do "embate" com o tsarismo para o "embate" com o imperialismo gutchkoviano-miliukoviano, latifundiário e capitalista. Na ordem do dia está a tarefa da *organização*, mas de modo algum no sentido estereotipado do trabalho com organizações apenas estereotipadas, e sim no sentido da atração de massas de uma amplitude sem precedentes das classes oprimidas para uma organização e do cumprimento por essa própria organização de tarefas militares, estatais e econômicas.

Para essa tarefa original, o proletariado caminhou e vai caminhar por diferentes vias. Em algumas localidades da Rússia, a Revolução de Fevereiro-Março põe em suas mãos um poder quase completo; em outras, começará talvez a criar e a alargar a milícia proletária de maneira "usurpadora"; em terceiras, provavelmente, tentará conseguir eleições imediatas na base do sufrágio universal etc., para as dumas urbanas e os *zemstvos*, a fim de criar a partir deles centros revolucionários etc., enquanto o crescimento da organização proletária, a proximidade de soldados e operários, o movimento em meio ao campesinato, a desilusão de muitos e muitos em relação à validade do governo de Gutchkov e Miliúkov não aproximarem a hora de sua substituição pelo "governo" do Soviete de Deputados Operários.

Da mesma maneira, não nos esqueçamos de que bem perto de Píter temos um dos países mais avançados, mais republicanos de fato, a Finlândia, que, de 1905 a 1917, sob o pretexto das batalhas revolucionárias na Rússia, desenvolveu a democracia de forma relativamente pacífica e conquistou a *maioria* do povo para o lado do socialismo. O proletariado da Rússia assegurará à República finlandesa a completa liberdade, incluindo a liberdade de separação (agora dificilmente haverá um só social-democrata que vacile a esse respeito, num momento em que o democrata-constitucionalista Róditchev tão indignamente tenta arrancar em Helsingfors[13] pedacinhos de privilégios para os grão-russos), e precisamente com isso conquistará a *completa* confiança e ajuda fraterna dos operários finlandeses à causa proletária de toda a Rússia. Numa obra difícil e grande, são inevitáveis os erros – também nós não escaparemos deles; os operários finlandeses são melhores organizadores, eles vão nos ajudar nesse domínio, levar adiante, à *sua maneira*, o estabelecimento da república socialista.

Vitórias revolucionárias na própria Rússia; êxitos organizativos pacíficos na Finlândia a pretexto dessas vitórias; a passagem dos operários russos às tarefas organizativas revolucionárias em nova escala; a conquista do poder pelo proletariado e pelas camadas mais pobres da população; estímulo e desenvolvimento da revolução socialista no Ocidente – eis o caminho que nos conduzirá à *paz* e ao *socialismo*.

[13] Atual Helsinque. (N. R. T.)

5. A SOCIAL-DEMOCRACIA E O GOVERNO PROVISÓRIO REVOLUCIONÁRIO[1]

I

Há apenas cinco anos a palavra de ordem "abaixo a autocracia!" parecia, para muitos representantes da social-democracia, prematura e incompreensível à massa operária. Esses representantes foram classificados, corretamente, como oportunistas. Mais de uma vez lhes foi explicado que estavam atrasados em relação ao movimento, que não entendiam as tarefas do partido como um destacamento de vanguarda da classe, como seu dirigente e organizador, como representante do movimento em seu conjunto, de seus objetivos originais e principais. Tais objetivos podem ser temporariamente encobertos pelo trabalho corriqueiro do cotidiano, mas não devem jamais perder o significado de estrela orientadora para o proletariado combatente.

E eis que é chegada a hora em que a chama da revolução tomou todo o país, quando os mais incrédulos começam a acreditar na inevitabilidade da derrubada da autocracia num futuro próximo. A social-democracia, porém, como se por alguma ironia da história, tem mais uma vez de lidar com as mesmas tentativas reacionárias, oportunistas, de arrastar para trás o movimento, de rebaixar suas tarefas, de obscurecer suas palavras de ordem. A polêmica com os representantes de tais tentativas coloca-se na ordem do dia, adquire (contra a opinião de muitos e muitos que não gostam de polêmicas dentro do partido) uma imensa importância *prática*. É que quanto mais nos aproximamos da realização imediata de nossas tarefas políticas imediatas,

[1] Este artigo foi publicado originalmente em Вперёд/*Vperiod* [Avante], n. 13-14, 23 e 30 mar. (5 e 12 abr.) 1905, e traduzido pelas Edições Avante! com base em Vladímir Ilitch Lênin, *Pólnoie sobránie sotchiniéni*, v. 10 (5. ed., Moscou, Izdátelstvo Polítitcheskoi Literatúry, 1969), p. 1-19. (N. E.)

maior é a necessidade de compreender de modo perfeitamente claro essas tarefas e mais prejudiciais são quaisquer ambiguidades, reticências ou irreflexões relacionadas a essa questão.

E há muita irreflexão entre os sociais-democratas do campo "novo-iskrista" ou (o que dá quase no mesmo) "rabotchedelista"[2]. "Abaixo a autocracia!" – com isso todos concordam, não só todos os sociais-democratas, mas também todos os democratas e até todos os liberais, se acreditarmos em suas atuais declarações. Mas o que isso significa? Como, precisamente, deve ocorrer essa derrubada do atual governo? Quem deve convocar a Assembleia Constituinte, que agora até os osvobojdinistas[3] estão prontos a apresentar, com aceitação do sufrágio universal etc., como sua palavra de ordem (ver o n. 67 da *Osvobojdiénie*)? Em que, precisamente, deve consistir a garantia real de eleições livres, que expressem os interesses de todo o povo nessa assembleia?

Quem não dá a si mesmo uma resposta clara e precisa a essas perguntas não compreende a palavra de ordem "Abaixo a autocracia!". E essas questões nos conduzem inevitavelmente à questão do governo provisório revolucionário; não é difícil compreender que, sob a autocracia, eleições de fato gerais e livres para a Assembleia Constituinte, com plena garantia de votação de fato universal, igual, direta e secreta, são não apenas improváveis, mas diretamente impossíveis. E se não é em vão que avançamos na exigência prática da derrubada imediata do governo autocrático, então devemos ter claro para nós mesmos *precisamente por qual outro governo* queremos substituir o governo derrubado; ou, dito de outro modo: como encaramos a relação da social-democracia com o governo provisório revolucionário?

Sobre essa questão, os oportunistas da social-democracia contemporânea, ou seja, os novo-iskristas, puxam o partido para trás com tanta força quanto os rabotchedelistas faziam há cinco anos na questão da luta política

2 Referência aos membros do jornal Рабочедельскую/*Rabótcheie dielo* [Causa operária], publicado em Genebra de 1899 a 1902, que se tornou sinônimo de apoiadores do bernsteinianismo e do "economismo", vertentes da social-democracia contrárias à ditadura do proletariado. (N. E.)

3 Referência aos membros da Союз освобождения/*Soiuz Osvobojdiénia* [União Libertadora], grupo clandestino de caráter liberal baseado nas ideias de Piotr Struve, editor da revista Освобождение/*Osvobojdiénie* [Libertação], publicada no exterior de 1902 a 1905. (N. E.)

em geral. Suas concepções reacionárias sobre esse ponto estão desenvolvidas de modo mais completo na brochura de Martínov, две диктатуры/*Dvié Diktatury* [Duas ditaduras], que o *Искры/Iskra* [Faísca][4] (n. 84) aprovou e recomendou com uma nota especial e para a qual já chamamos mais de uma vez a atenção de nossos leitores.

Logo no princípio de sua brochura, Martínov nos assusta com essa terrível perspectiva: se uma sólida organização da social-democracia revolucionária pudesse "marcar e conduzir uma insurreição armada de todo o povo" contra a autocracia, com a qual Lênin sonhava, então "não seria evidente que a vontade de todo o povo nomearia logo após a revolução justamente esse partido como governo provisório? Não seria evidente que o povo entregaria precisamente a esse partido, e não a qualquer outro, o destino imediato da revolução?".

É inacreditável, mas é um fato. O futuro historiador da social-democracia russa terá de constatar com surpresa que, bem no início da Revolução Russa, os girondinos da social-democracia *assustavam* o proletariado revolucionário com semelhante perspectiva! Todo o conteúdo da brochura de Martínov (e toda uma série de artigos e de passagens de artigos do novo *Iskra*) se reduz a pintar grosseiramente os "horrores" dessa perspectiva. O líder ideológico dos novo-iskristas é assaltado pela visão da "tomada do poder", pelo medo do espantalho do "jacobinismo", do bakuninismo, do tkatchovismo[5] e de outros terríveis "ismos" com que as diferentes amas-secas revolucionárias de bom grado assustam os bebês da política. E, evidentemente, não dispensa para isso "citações" de Marx e Engels. Pobres Marx e Engels, quanto não abusam das citações de suas obras! Vocês se lembram: a verdade de que "toda luta de classes é uma luta política"[6] referida *para justificar* a estreiteza e o atraso de *nossas* tarefas políticas e nossos métodos de agitação e luta política? Agora Engels que é apresentado como falsa

[4] A referência é à publicação do *Iskra* a partir do número 53, conhecida como novo *Iskra*, cuja orientação editorial passara a ser menchevique. (N. E.)

[5] Tendência do populismo revolucionário ligada ao ideólogo Piotr Nikítitch Tkatchov (1844-1885). (N. E.)

[6] Ver Karl Marx e Friedrich Engels, *Manifesto Comunista* (trad. Álvaro Pina, São Paulo, Boitempo, 2010), p. 48. (N. E.)

testemunha em favor do rabeirismo[7]. Ele escreveu em *As guerras camponesas na Alemanha*: "O pior que pode acontecer ao chefe de um partido radical é ser obrigado a tomar o poder numa época em que o movimento ainda não está maduro para a dominação da classe que representa e para a aplicação de medidas que assegurem essa dominação"[8]. Basta ler cuidadosamente esse começo da longa citação feita por Martínov para verificar como nosso rabeirista deturpa o pensamento do autor. Engels fala do *poder que assegura a dominação de classe*. Isso não é claro? Em relação ao proletariado, esse é, consequentemente, o poder *que assegura o domínio do proletariado*, ou seja, a ditadura do proletariado para realizar a revolução[9] socialista. Martínov não compreende isso, confundindo o governo provisório revolucionário na época da derrubada da autocracia com o domínio assegurado do proletariado na época da derrubada da burguesia; confundindo a ditadura democrática do proletariado e do campesinato com a ditadura socialista da classe operária. Entretanto, a partir da continuação da citação de Engels, seu pensamento se torna ainda mais claro. O chefe de um partido radical, diz ele, terá de "realizar os interesses de uma classe que lhe é estranha e recompensar a sua própria classe com *frases e promessas, assegurando-lhe que os interesses dessa classe estranha* são os seus próprios *interesses*. Quem quer que se coloque nessa *posição falsa* está irreversivelmente perdido"[10].

As passagens destacadas mostram claramente que Engels previne justamente contra a posição falsa que resulta da incompreensão pelo chefe dos interesses reais de "sua própria" classe e do conteúdo de classe real da revolução.

[7] Por vezes traduzido como "seguidismo", concepção já relativamente estabelecida no vocabulário político, este termo deriva da palavra russa хвост, que significa "rabo", "cauda", "rabeira"; ele aparece pela primeira vez na literatura marxista por meio de Lênin, que o emprega para caracterizar a política e a prática que se utilizam da tática oportunista de "pegar rabeira nos acontecimentos". (N. R. T.)

[8] Ver Friedrich Engels, "As guerras camponesas na Alemanha", em *A revolução antes da revolução* (trad. Eduardo Nogueira e Conceição Jardim, São Paulo, Expressão Popular, 2008), p. 144. (N. E.)

[9] No original, переворот. Em sua origem, esta palavra significava "reviravolta", mas a partir da Revolução Francesa , quando se dá um processo de internacionalização do vocábulo, ela adquire o sentido de "*révolution*", com a mesma carga semântica da expressão em francês. Portanto, por vezes traduz-se como "revolução", por vezes como "reviravolta", "sublevação", "insurreição", "golpe", ou mesmo "mudança", a depender do contexto. (N. R. T.)

[10] Idem.

Por uma questão de clareza, tentaremos mastigá-lo a nosso profundíssimo Martínov com um exemplo simples. Quando os narodovolistas[11], pensando representar os interesses do "trabalho", garantiram a si mesmos e aos outros que na futura Assembleia Constituinte russa 90% dos camponeses seriam socialistas, eles caíram, com isso, numa posição falsa, que tinha inevitavelmente de conduzir à sua perdição[12] política irreversível, pois essas "promessas e garantias" não correspondiam à realidade objetiva. Na prática, aplicariam os interesses da democracia burguesa, "os interesses de outra classe". Começa a entender algo, venerável Martínov? Quando os socialistas-revolucionários representam as futuras transformações agrárias inevitáveis na Rússia como "socialização", como "entrega da terra ao povo", como princípio da "utilização igualitária", colocam-se numa falsa posição que conduz inevitavelmente à sua perdição política irreversível, porque, na prática, exatamente as transformações que eles se esforçam por alcançar assegurarão o domínio de outra classe, da burguesia camponesa, de modo que suas frases, promessas e garantias serão tanto mais cedo refutadas pela realidade quanto mais rápido for o desenvolvimento da revolução. Você ainda não compreende de que se trata, venerável Martínov? Você ainda não compreende que a *essência* do pensamento de Engels consiste em indicar que é fatal a incompreensão das tarefas históricas reais da revolução, que as palavras de Engels são aplicáveis, por conseguinte, aos narodovolistas e aos "socialistas-revolucionários"?

II

Engels aponta o perigo da incompreensão pelos líderes do proletariado do caráter *não proletário* da revolta, já o inteligente Martínov deduz daqui o perigo de que os líderes do proletariado, que se cercaram da democracia revolucionária tanto pelo programa quanto pela tática (ou seja, por toda a

[11] Membros do grupo Народная воля/*Naródnaia Vólia* [Vontade do povo], organização política formada em 1879 cujo objetivo era a derrubada do tsarismo por meio de atos individuais de terror. (N. E.)

[12] No original, Гибель. Há algumas acepções para esta palavra, como "morte", "perecimento", "perdição", "destruição", "naufrágio", "ruína", "catástrofe" etc., a depender do contexto. (N. R. T.)

propaganda e a agitação) e pela organização, desempenhem um papel dirigente na criação da república democrática. Engels vê o perigo de que o líder confunda o conteúdo ficticiamente socialista e realmente democrático da revolta, já o inteligente Martínov deduz daqui o perigo de o proletariado, juntamente com o campesinato, assumir de maneira consciente a ditadura no estabelecimento da república democrática como última forma do domínio burguês e como a melhor forma para a luta de classes do proletariado contra a burguesia. Engels vê o perigo numa posição falsa, quando se diz uma coisa e se faz outra, quando se promete o domínio de uma classe, mas se assegura, de fato, o domínio de outra classe; Engels vê nessa posição falsa a inevitabilidade da perdição política irreversível, já o inteligente Martínov deduz daqui o perigo de catástrofe em razão de os partidários burgueses da democracia não deixarem o proletariado e o campesinato assegurarem uma república de fato democrática. O inteligente Martínov em nada se esforça para entender que *tal* perdição, a perdição do líder do proletariado, a perdição de milhares de proletários na luta por uma república realmente democrática, sendo uma ruína física, não só não é uma ruína política, como, ao contrário, é a maior conquista política do proletariado, a maior realização de sua hegemonia na luta pela liberdade. Engels fala da perdição política daquele que inconscientemente se desvia de seu caminho de classe para um caminho de classe alheio, mas o inteligente Martínov, citando Engels com veneração, fala da perdição daquele que avança mais e mais pelo caminho de classe correto.

A diferença de pontos de vista da social-democracia revolucionária e do rabeirismo manifesta-se aqui com toda a evidência. Martínov e o novo *Iskra* recuam de fazer pousar sobre o proletariado, juntamente com o campesinato, a tarefa do mais radical golpe democrático, recuam da direção social-democrata desse golpe, entregando, desse modo, ainda que inconscientemente, os interesses do proletariado nas mãos da democracia burguesa. Dessa justa ideia de Marx de que devemos preparar não um partido de governo, mas um partido de oposição *do futuro*, Martínov chega à conclusão de que devemos formar uma oposição rabeirista à revolução *presente*. A isso se reduz sua sabedoria política. Eis seu raciocínio, sobre o qual muito recomendaríamos que o leitor pensasse:

"O proletariado não pode obter nem parte do poder político no Estado enquanto não fizer a revolução socialista. É essa a tese indiscutível que nos separa do jauressismo[13] oportunista [...]" (Martínov, p. 58), e que, acrescentamos nós, demonstra indiscutivelmente a incapacidade do respeitável Martínov de entender o que é o quê. Confundir a participação do proletariado num poder que resiste ao levante socialista com a participação do proletariado numa revolução democrática significa não compreender irremediavelmente aquilo de que se trata. É o mesmo que confundir a participação de Millerand no ministério do assassino Galliffet com a participação de Varlin na Comuna[14], que defendia e defendeu a república.

Contudo, ouçam o que vem a seguir para ver como nosso autor se atrapalha: "[...] Mas se é assim, é evidente que a próxima revolução não pode realizar nenhuma forma política *contra a vontade de toda* (itálico de Martínov) a burguesia, pois ela será a senhora no dia de amanhã...". Em primeiro lugar, por que se fala aqui apenas das formas políticas, quando na frase anterior se tratava do poder do proletariado em geral, até mesmo na revolução socialista? Por que o autor não fala da realização das formas econômicas? Porque, sem que ele mesmo percebesse, saltou já da insurreição socialista para a democrática. Se é assim (isso em segundo lugar), contudo, é absolutamente errado o autor falar *tout court* (pura e simplesmente) da "vontade de toda a burguesia", porque a época da revolução democrática se distingue precisamente pela diferença de vontade das diversas camadas da burguesia, que apenas se liberta do absolutismo. Falar de revolução democrática e se limitar à simples contraposição de proletariado e burguesia é pura inconsequência, pois *essa* revolução assinala precisamente o período de desenvolvimento da sociedade em que a massa, no fundo, se encontra entre o proletariado e a burguesia, constituindo uma vastíssima camada pequeno-burguesa, camponesa. Essa gigantesca camada, precisamente porque a revolução democrática ainda não foi consumada, tem muito mais interesses comuns com o proletariado na realização das formas políticas que a "burguesia" no sentido próprio

[13] Corrente reformista do movimento socialista francês encabeçada por Jean Jaurès. (N. E.)

[14] Ver, neste volume, p. 187. (N. E.)

e estrito dessa palavra. É na incompreensão dessa coisa simples que reside uma das principais fontes da confusão de Martínov.

Adiante:

> [...] Se assim é, a luta revolucionária do proletariado, por meio da simples intimidação da maioria dos elementos burgueses, só pode conduzir a uma coisa – à restauração do absolutismo em sua forma original –, e o proletariado, é claro, não se deterá perante esse possível resultado, não renunciará a intimidar a burguesia no pior dos casos, se as coisas se inclinarem decididamente a um reviver e um reforço do poder autocrático em decomposição por meio de uma concessão constitucional fictícia. Ao entrar na luta, porém, o proletariado, como é evidente, não tem em vista esse pior dos casos.

Você, leitor, compreende alguma coisa? O proletariado não se deterá perante a intimidação, que conduz à restauração do absolutismo, no caso de haver ameaça de uma concessão constitucional fictícia! Seria o mesmo que dizer: estou ameaçado por uma praga do Egito sob a forma de uma conversa de um dia apenas com Martínov; por isso, no pior dos casos, recorro à intimidação, que só pode conduzir a uma conversa de dois dias com Martínov e Mártov. Isso é um puro disparate, respeitabilíssimo!

A ideia que assaltava Martínov quando ele escreveu o absurdo por nós citado consiste no seguinte: se na época da revolução democrática o proletariado se põe a intimidar a burguesia com a revolução socialista, isso só conduzirá à reação, que enfraquecerá também as conquistas democráticas. É só isso, nada mais. Não se pode falar, naturalmente, da restauração do absolutismo na forma original nem da disposição do proletariado para, no pior dos casos, recorrer à pior estupidez. Todo o caso se reduz, outra vez, à diferença entre a revolução democrática e a socialista da qual Martínov se esquece, à existência da gigantesca população camponesa e pequeno-burguesa que é capaz de apoiar a revolução democrática, mas não é capaz de apoiar a socialista no momento presente.

Vamos ouvir mais uma vez nosso inteligente Martínov: "[...] É evidente que a luta entre o proletariado e a burguesia às vésperas da revolução burguesa tem de se diferenciar em alguns aspectos dessa mesma luta em seu estágio final, às vésperas da revolução socialista [...]". Sim, é evidente, e, se pensasse em que precisamente consiste essa diferença, Martínov dificilmente escreveria a ladainha anterior – nem o restante da brochura.

> [...] A luta para influenciar o curso e o desenlace da revolução burguesa só se pode exprimir no fato de o proletariado exercer uma pressão revolucionária sobre a vontade da burguesia liberal e radical, de as "camadas baixas" mais democráticas da sociedade obrigarem suas "camadas altas" a concordar em levar a revolução burguesa até seu fim lógico. Ela se exprimirá no fato de o proletariado colocar em cada caso a burguesia perante o dilema: ou para trás, para as garras do absolutismo, entre as quais ela sufoca, ou para a frente com o povo.

Essa proeza é o ponto central da brochura de Martínov. Aqui está todo o seu sal, todas as suas "ideias" fundamentais. E quais são essas ideias inteligentes? Vejam: quais são essas "camadas baixas" da sociedade, esse "povo" de que finalmente se lembrou o nosso sabichão? É justamente a camada pequeno-burguesa urbana e rural de milhões de pessoas perfeitamente capaz de atuar de modo democrático revolucionário. E o que é, então, essa pressão do proletariado mais o campesinato sobre as camadas altas da sociedade, que movimento adiante do proletariado é esse, juntamente com o povo e apesar das camadas altas da sociedade? É precisamente *a ditadura democrática revolucionária do proletariado e do campesinato* contra a qual se bate nosso rabeirista! Ele tem medo de pensar até o fim, tem medo de chamar as coisas pelo verdadeiro nome. Diz, por isso, palavras cujo significado não compreende, repete timidamente, com ridículos e tolos floreios*, palavras de ordem cujo verdadeiro sentido lhe escapa. Por isso, só com um rabeirista é possível essa coisa esquisita na parte mais "interessante" das duas conclusões finais: pressão revolucionária tanto do proletariado como do "povo" sobre as camadas altas da sociedade, mas sem ditadura democrática revolucionária do proletariado e do campesinato – só Martínov podia chegar a tal extremo! Martínov quer que o proletariado ameace as camadas altas da sociedade, que avance com o povo, mas que, ao mesmo tempo, decida firmemente com seus líderes novo-iskristas *não avançar* pelo caminho democrático, pois esse

* Já assinalamos o absurdo da ideia de o proletariado, mesmo no pior dos casos, poder empurrar a burguesia para trás.

é o caminho da ditadura democrática revolucionária. Martínov quer que o proletariado exerça pressão sobre a vontade das camadas superiores revelando sua própria falta de vontade. Martínov quer que o proletariado leve as camadas superiores a "concordar" com levar a revolução burguesa até o fim republicano-democrático e que o faça exprimindo seu próprio medo de *assumir*, com o povo, esse ato de levar a revolução até o fim, de assumir o poder e a ditadura democrática. Martínov quer que o proletariado seja a vanguarda na revolução democrática e, *portanto*, o inteligente Martínov *assusta* o proletariado com a perspectiva da participação no governo provisório revolucionário em caso de êxito da insurreição!

Não se pode ir mais longe no rabeirismo reacionário. Temos de reverenciar Martínov como um santo por ter levado até o fim as tendências rabeiristas do novo *Iskra* e tê-las expressado com relevo e sistematicamente a propósito da questão política mais atual e fundamental*.

III

Qual é a fonte da confusão de Martínov? É a confusão entre a revolução democrática e a socialista, o esquecimento do papel da camada popular intermediária que está entre a "burguesia" e o "proletariado" (a massa pequeno-burguesa dos pobres da cidade e do campo, os "semiproletários", os semiproprietários), a incompreensão do verdadeiro significado de nosso programa mínimo[15]. Martínov ouviu que é indecoroso para um socialista participar de um ministério burguês (quando o proletariado luta pela revolução socialista) e apressou-se a "compreendê-lo" no sentido de que não se deve participar, ao lado da democracia burguesa revolucionária, da revolução democrática

* O artigo já estava escrito quando recebemos o n. 93 do *Iskra*, ao qual ainda teremos de voltar.

[15] Parte do primeiro programa do Partido Operário Social-Democrata Russo, definia as tarefas da revolução democrática burguesa: derrubada do tsarismo e estabelecimento de uma república democrática; introdução da jornada de trabalho de oito horas; igualdade de direitos das nações e seu direito à autodeterminação; liquidação dos vestígios de servidão no campo. A segunda parte do programa – o *programa máximo* – definia as tarefas da revolução socialista: derrubada do capitalismo e estabelecimento da ditadura do proletariado. (N. E.)

revolucionária e da ditadura que é necessária para a completa realização dessa revolução. Martínov leu nosso programa mínimo, mas não reparou que a rigorosa distinção feita nele entre as transformações realizáveis no terreno da sociedade burguesa e as transformações socialistas não tem apenas um significado livresco, mas um significado mais vital e prático; ele não reparou que num período revolucionário o programa sofre uma imediata comprovação e aplicação na prática. Martínov não pensou que rejeitar a ideia da ditadura democrática revolucionária na época da queda da autocracia equivaleria a rejeitar a realização de nosso programa mínimo. Na realidade, recordemos todas as transformações econômicas e políticas apresentadas nesse programa, as reivindicações da república, do armamento do povo, da separação da Igreja do Estado, de plenas liberdades democráticas, de reformas econômicas decididas. Não fica claro que a aplicação dessas transformações no terreno do regime burguês é inconcebível sem a ditadura democrática revolucionária das classes inferiores? Não está claro que não se trata aqui apenas do proletariado, em contraste com a "burguesia", mas das "classes inferiores", que são o impulsionador ativo de qualquer revolução democrática? Essas classes são o proletariado *mais* as dezenas de milhões de pobres da cidade e do campo, cujas condições de existência são pequeno-burguesas. Não restam dúvidas de que muitos representantes dessa massa pertencem à burguesia. Mas é ainda mais inquestionável que a plena realização da democracia é do interesse dessa massa, e que, quanto mais esclarecida ela for, mais inevitável é sua luta por essa plena realização. Um social-democrata nunca se esquecerá, é claro, da dupla natureza político-econômica da massa pequeno-burguesa da cidade e do campo, nunca se esquecerá da necessidade da organização de classe separada e independente do proletariado que luta pelo socialismo. Ao mesmo tempo, ele também não se esquecerá de que essa massa tem, "além de um passado, um futuro; além de preconceitos, um parecer"[16] que a empurra para frente, para a ditadura democrática revolucionária; ele não se esquecerá de que a educação não se dá por um livro – se dá menos pelos livros que pelo próprio

[16] Ver Karl Marx, *O 18 de brumário de Luís Bonaparte* (trad. Nélio Schneider, São Paulo, Boitempo, 2011), p. 144. Embora Lênin tenha usado aspas, a citação não é *ipsis litteris*. (N. E.)

curso da revolução, que abre os olhos e serve de escola política. Em tais condições, uma teoria que rejeita a ideia de ditadura democrática revolucionária não pode ser chamada senão de justificação filosófica do atraso político.

O social-democrata revolucionário afastará de si com desprezo semelhante teoria. Às vésperas da revolução, ele não se limitará a apontar seu "pior dos fins". Não, ele apontará também a possibilidade do melhor dos fins. Ele sonhará – é obrigado a sonhar, se não for um irremediável filisteu – que, depois da gigantesca experiência da Europa, depois da envergadura sem precedentes da energia da classe operária na Rússia, conseguiremos avivar como nunca o farol da luz revolucionária perante a massa ignorante e oprimida, conseguiremos – graças ao fato de estarmos sobre os ombros de toda uma série de gerações revolucionárias da Europa – realizar, com amplitude nunca vista, todas as transformações revolucionárias, todo o nosso programa mínimo; conseguiremos fazer com que a Revolução Russa não seja um movimento de alguns meses, mas um movimento de muitos anos, para que não conduza apenas a pequenas concessões da parte das autoridades existentes, mas à completa derrubada dessas autoridades. E, se conseguirmos isso, então… então o incêndio revolucionário inflamará a Europa; o operário europeu consumido pela reação burguesa se erguerá e nos mostrará "como é que se faz"; então a escalada revolucionária da Europa terá um efeito reverso sobre a Rússia e fará da época de alguns anos revolucionários uma época de alguns decênios revolucionários, então… mas teremos ocasião ainda para falar mais de uma vez daquilo que faremos "então", para falar não da maldita distância de Genebra, mas diante de assembleias de milhares de operários nas ruas de Moscou e Petersburgo, diante das reuniões livres de "mujiques"[17] russos.

IV

Esses sonhos são evidentemente alheios e estranhos para os filisteus do novo *Iskra* e para seu "senhor dos pensamentos", nosso bom escolástico Martínov.

[17] Aspas conforme o original. (N. E.)

Eles têm medo da completa realização de nosso programa mínimo por meio da ditadura revolucionária do povo simples e comum. Eles têm medo por sua própria consciência, têm medo de perder as prescrições do livro decorado (mas não assimilado), têm medo de não se mostrarem em condições de distinguir entre os passos corretos e audaciosos das transformações democráticas e os saltos aventureiros do socialismo ou do anarquismo não classista, populista. Sua alma filistina lhes sugere, com razão, que numa rápida marcha para frente será mais difícil distinguir o caminho seguro e resolver rapidamente questões complexas e novas que na rotina do pequeno trabalho diário; por isso eles murmuram instintivamente: longe de mim, longe de mim! Que essa taça da ditadura democrática revolucionária me evite! Tomara que não pereça! Senhores! Mais vale que andem "a passo lento, em tímidos zigue-zagues"[18]...!

Não é de espantar que, para Párvus, que tão generosamente apoiava os novo-iskristas enquanto se tratava predominantemente da cooptação dos mais veneráveis e dos merecedores, as coisas tenham acabado por se tornar penosas em semelhante companhia pantanosa. Não é de espantar que nela ele tenha começado a sentir cada vez mais frequentemente o *taedium vitae*, o tédio da vida. E, por fim, rebelou-se. Ele não se limitou à defesa da palavra de ordem "organizar a revolução", que assustara mortalmente o novo *Iskra*, não se limitou aos chamados que o *Iskra* publicava em folhetos separados, ocultando até, devido aos horrores "jacobinos", a referência ao Partido Operário Social-Democrata*. Não. Depois de se libertar do pesadelo da sapientíssima teoria akselrodista (ou luxemburguista?) da organização-processo, Párvus soube, enfim, avançar em vez de recuar como um caranguejo. Ele não quis fazer o "trabalho de Sísifo" de corrigir infinitamente os disparates de Martínov e de Mártov. Ele interveio de modo direto (infelizmente, com

[18] Ver Nartsisse Tuporílov (pseudônimo de L. Martóv), "Hino do mais novo socialista russo", Заря/*Zariá* [Aurora], n. 1, 1901. O poema satiriza a adaptação dos "economicistas" ao movimento espontâneo da revolução. (N. E.)

* Não sei se nossos leitores notaram um fato característico: entre o monte de lixo publicado pelo novo *Iskra* sob a forma de folhetos, houve bons folhetos assinados por Párvus. A redação do *Iskra* afastou-se precisamente desses folhetos, sem querer mencionar nem o nosso partido nem a sua editora.

Trótski) em defesa da ideia de ditadura democrática revolucionária, da ideia de que é dever da social-democracia participar do governo provisório revolucionário depois da derrubada da autocracia. Párvus está mil vezes com a razão quando diz que a social-democracia não deve ter medo de dar passos audaciosos à frente, não deve recear desferir "golpes" conjuntos ao inimigo ombro a ombro com a democracia burguesa revolucionária, com a condição obrigatória (muito oportunamente lembrada) de não misturar a organização; caminhar separadamente, golpear em conjunto; não ocultar a diversidade de interesses; vigiar o aliado como vigiamos o inimigo etc.

Porém, quanto mais calorosa é nossa simpatia por todas essas palavras de ordem de um social-democrata revolucionário que se afastou dos rabeiristas, mais desagradavelmente nos surpreenderam algumas notas falsas tocadas por Párvus. E não é por criticismo que notamos essas pequenas incorreções, mas porque a quem muito se dá muito se pede. O mais perigoso seria agora que a posição correta de Párvus fosse comprometida por sua própria imprudência. Justamente entre as frases no mínimo imprudentes do prefácio de Párvus à brochura de Trótski que estamos analisando, há a seguinte: "Se queremos isolar o proletariado revolucionário das outras correntes políticas, temos de saber estar ideologicamente à frente do movimento revolucionário" (isso está correto), "ser mais revolucionários que todos". Isso está incorreto. Isto é, incorreto caso se tome a afirmação no sentido geral que lhe é dado pela frase de Párvus, incorreto do ponto de vista do leitor que toma o prefácio como algo autônomo, independente de Martínov e dos novo-iskristas, que não são mencionados por Párvus. Caso se examine essa afirmação dialeticamente, ou seja, relativamente, concretamente, por todos os lados, sem imitar os cavaleiros da literatura que, mesmo muitos anos depois, arrancam frases soltas de uma obra integral e deturpam seu sentido, então se tornará claro que Párvus se dirige precisamente contra o rabeirismo e, *nessa medida*, é justo (comparem em particular as palavras seguintes de Párvus: "Se nós nos *atrasarmos* em relação ao desenvolvimento revolucionário" etc.). Mas o leitor não pode ter em vista apenas os rabeiristas, e, entre os amigos perigosos da revolução no campo dos revolucionários, além dos rabeiristas, há ainda pessoas muito diferentes, há os "socialistas-revolucionários", há pessoas atraídas pela torrente dos acontecimentos, impotentes perante a frase revolucionária, como os Nadéjdin, ou aquelas em que o instinto substitui a visão de mundo revolucionária (como Gapone). Párvus se esqueceu deles – e esqueceu porque sua exposição, o desenvolvimento de seu pensamento, não corria livremente, mas estava ligada à agradável recordação do martinovismo contra o qual ele se esforça para prevenir o leitor. A exposição de Párvus é insuficientemente concreta, pois ele não considera a soma de diferentes correntes revolucionárias que existem na Rússia, as quais são inevitáveis numa época de revolução democrática e refletem naturalmente a fraca diferenciação de classes da sociedade naquela época. Ideias socialistas vagas, por vezes mesmo reacionárias, revestem nessa época com muita naturalidade programas democráticos revolucionários, escondendo-se por trás da frase revolucionária (recordemo-nos dos socialistas-revolucionários e de Nadéjdin, o qual, parece, apenas mudou sua designação ao passar dos "socialistas-revolucionários" para o novo *Iskra*). E, em semelhantes condições, nós, sociais-democratas, nunca podemos avançar e nunca avançaremos a palavra de ordem "ser mais revolucionários que todos". Nós nem sonhamos em alcançar o revolucionarismo do democrata apartado da base da classe, que alardeia belas frases, ávido de palavras de ordem em voga e baratas (particularmente no domínio agrário); ao contrário, sempre teremos para com ele uma atitude crítica, sempre desmascararemos o significado real das palavras, o conteúdo real dos grandes acontecimentos idealizados, ensinando a ter em conta sobriamente as classes e os matizes dentro das classes nos momentos mais quentes da revolução.

São igualmente incorretas, e pela mesma razão, as afirmações de Párvus de que "o governo provisório revolucionário na Rússia será o governo da democracia operária", de que, "se a social-democracia estiver à frente do movimento revolucionário do proletariado russo, esse governo será social-democrata", de que o governo provisório social-democrata "será um governo integral com uma maioria social-democrata". Isso é *impossível* caso se fale não de episódios casuais, efêmeros, mas de uma ditadura revolucionária minimamente durável e minimamente capaz de deixar uma marca na história. Isso é impossível, porque só pode ser minimamente sólida (é claro que não absolutamente, mas relativamente) uma ditadura revolucionária que se apoie na imensa maioria do povo. O proletariado russo, porém, constitui hoje uma minoria da população da Rússia. Ele só se pode tornar a imensa, a esmagadora maioria caso se una à massa dos semiproletários, dos semiproprietários, ou seja, à massa dos pobres pequeno-burgueses da cidade e do campo. E essa composição da base social de uma ditadura democrática revolucionária possível e desejável reflete-se, naturalmente, na composição do governo revolucionário, torna inevitável a participação nele ou mesmo a predominância nele dos mais variados representantes da democracia revolucionária. Seria extremamente prejudicial ter a esse respeito quaisquer ilusões. Se agora o tagarela Trótski escreve (infelizmente ao lado de Párvus) que "o padre Gapone só podia aparecer uma vez", que "não há lugar para um segundo Gapone", é exclusivamente porque ele é um tagarela. Se na Rússia não houvesse lugar para um segundo Gapone, em nosso país não haveria também lugar para uma revolução democrática de fato "grande", que chegasse até o fim. Para se tornar grande, para lembrar os anos de 1789-1793, não de 1848-1850, e para superá-los, ela deve elevar massas gigantescas à vida ativa, aos esforços heroicos, à "criatividade histórica fundamental", elevá-las de uma ignorância terrível, de um embrutecimento inaudito, de uma selvageria incrível e de um embotamento abissal. Ela já se eleva e se elevará completamente – o próprio governo facilita isso com sua resistência convulsiva –, mas, evidentemente, nem se pode falar de consciência política refletida, de consciência social-democrata dessas massas e de seus numerosos líderes "genuínos", do povo, e até mujiques. Eles não podem se tornar sociais-democratas de imediato, sem passar por uma série de provações revolucionárias, não só devido à ignorância (a revolução educa, repetimos, com uma rapidez fantástica), mas porque sua situação de classe não é proletária, porque a lógica objetiva do desenvolvimento histórico os coloca no presente momento perante as tarefas não de uma revolução socialista, mas de uma democrática.

E, dessa revolução, o proletariado revolucionário, com toda a sua energia, também participará, varrendo para longe de si o miserável rabeirismo de uns e a frase revolucionária de outros, introduzindo a definição e a consciência de classe no torvelinho vertiginoso dos acontecimentos, avançando constante e audaciosamente, não temendo a ditadura democrática revolucionária – antes, desejando-a com paixão, lutando pela república e pela plena liberdade republicana, por reformas econômicas sérias, para criar para si uma arena de luta pelo socialismo verdadeiramente ampla e verdadeiramente digna do século XX.

6. EM MEMÓRIA DA COMUNA[1]

Quarenta anos se passaram desde a proclamação da Comuna de Paris. Segundo o costume estabelecido, o proletariado francês honrou com comícios e manifestações a memória dos militantes da Revolução de 18 de março de 1871; e, em fins de maio, de novo depositará flores nos túmulos dos *communards* fuzilados, vítimas da horrível "semana de maio", e sobre seus túmulos de novo jurará lutar sem tréguas até o completo triunfo de suas ideias, até a completa vitória da causa por eles legada.

Por que, afinal, não apenas o proletariado francês, mas o de todo o mundo honra os militantes da Comuna de Paris como seus precursores? E em que consiste a herança da Comuna?

A Comuna surgiu de maneira espontânea, ninguém a preparou consciente e organizadamente. A guerra malsucedida contra a Alemanha, os sofrimentos durante o cerco, o desemprego entre o proletariado e a ruína entre a pequena burguesia; a indignação da massa contra as classes superiores e contra as autoridades, que manifestaram uma completa incapacidade, uma efervescência confusa no seio da classe operária, descontente com sua situação e aspirando a outro regime social; a composição reacionária da Assembleia Nacional, que fazia temer pelo destino da república – tudo isso e muitas outras coisas se conjugaram para impelir a população de Paris à Revolução de 18 de março, que colocou inesperadamente o poder nas mãos da Guarda Nacional, nas mãos da classe operária e da pequena burguesia que se juntou a ela.

Foi um acontecimento sem precedentes na história. Até então, o poder encontrava-se normalmente nas mãos dos latifundiários e dos capitalistas, ou seja,

[1] Este artigo foi publicado originalmente em Рабочая Газета/*Rabótchaia Gazieta* [Jornal do trabalho], n. 4-5, 15 (28) abr. 1911, e traduzido pelas Edições Avante! com base em Vladímir Ilitch Lênin, *Pólnoie sobránie sotchiniéni*, v. 20 (5. ed., Moscou, Izdátelstvo Polítitcheskoi Literatúry, 1969), p. 217-22. (N. E.)

de homens de sua confiança que constituíam o chamado governo. Já depois da Revolução de 18 de março, quando o governo do sr. Thiers fugiu de Paris com suas tropas, sua polícia e seus funcionários, o povo se tornou senhor da situação, e o poder passou para o proletariado. Na sociedade atual, porém, o proletariado, economicamente escravizado pelo capital, não pode dominar politicamente se não quebrar as correntes que o prendem ao capital. E é por essa razão que o movimento da Comuna tinha inevitavelmente de adquirir uma coloração socialista, ou seja, começar a mirar na derrubada do domínio da burguesia, do domínio do capital, na destruição das próprias *bases* do regime social atual.

A princípio, esse movimento foi extremamente heterogêneo e indefinido. A ele aderiram também patriotas esperançosos de que a Comuna reiniciaria a guerra contra os alemães e a levaria a um fim próspero. Apoiavam-no também os pequenos comerciantes, ameaçados pela ruína caso não se adiasse o pagamento das letras e das rendas (o governo não queria conceder-lhes esse adiamento, mas a Comuna o concedeu). Por fim, nos primeiros tempos, simpatizaram com ela, em parte, mesmo os republicanos burgueses, receosos de que a Assembleia Nacional reacionária (os "caipiras"[2], os latifundiários selvagens) restaurasse a monarquia. Mas o principal papel foi, é claro, desempenhado pelos operários (sobretudo pelos artesãos parisienses), entre os quais havia sido desenvolvida uma intensa propaganda socialista durante os anos do Segundo Império, e muitos dos quais pertenciam à Internacional[3].

Só os operários se mantiveram fiéis à Comuna até o fim. Os republicanos burgueses e os pequeno-burgueses rapidamente se afastaram dela: uns assustados pelo caráter proletário, socialista e revolucionário do movimento; outros se afastaram quando viram que ele estava condenado a uma derrota inevitável. Só os proletários franceses apoiaram sem medo e incansavelmente *seu* governo, só eles se bateram e morreram por ele, ou seja, pela causa da emancipação da classe operária, por um futuro melhor para todos os trabalhadores.

[2] No original, "деревенщина"; palavra utilizada para se referir aos habitantes das aldeias, em contraposição aos moradores da cidade. Além disso, é utilizada para se referir a pessoas simples e tacanhas e, ainda, empregada como uma palavra reprovatória ou ofensiva. (N. R. T.).

[3] Referência à Primeira Internacional, a Associação Internacional dos Trabalhadores, fundada em 28 de setembro de 1864. (N. E.)

Abandonada pelos aliados da véspera e sem o apoio de ninguém, a Comuna seria inevitavelmente derrotada. Toda a burguesia da França, todos os latifundiários, os especuladores, os donos de fábricas, todos os grandes e os pequenos ladrões, todos os exploradores se uniram contra ela. Essa coligação burguesa, apoiada por Bismarck (que libertou 100 mil soldados prisioneiros franceses para subjugar a Paris revolucionária), conseguiu virar os camponeses ignorantes e a pequena burguesia provinciana contra o proletariado parisiense e cercar metade de Paris com um círculo de ferro (a outra metade estava assediada pelo Exército alemão). Em algumas grandes cidades da França (Marselha, Lyon, Saint-Étienne, Dijon, e assim por diante), os operários fizeram igualmente tentativas de tomar o poder, proclamar a Comuna e ir em socorro de Paris, mas essas tentativas terminaram rapidamente em fracasso. E Paris, que foi a primeira a erguer a bandeira da insurreição proletária, ficou entregue a suas próprias forças e condenada à morte certa.

Para uma revolução social triunfante, são necessárias, pelo menos, duas condições: um elevado desenvolvimento das forças produtivas e um proletariado preparado. Em 1871, no entanto, faltavam essas duas condições. O capitalismo francês era ainda pouco desenvolvido, e a França era, então, principalmente um país de pequena burguesia (artesãos, camponeses, lojistas etc.). Por outro lado, não havia um partido operário, não havia preparo e longo treinamento da classe operária, que, como massa, não tinha sequer uma ideia clara de suas tarefas e dos meios de sua realização. Não havia uma organização política séria do proletariado, nem grandes sindicatos ou associações cooperativas...

Ainda assim, o que faltou à Comuna foi principalmente o tempo, a liberdade de olhar ao redor e retomar a realização de seu programa. Ela não tivera, tampouco, a possibilidade de pôr as mãos à obra quando o governo sediado em Versalhes, apoiado por toda a burguesia, iniciou as ações militares contra Paris. E a Comuna precisou, antes de tudo, pensar na própria defesa. E, até o fim, que teve vez entre 21 e 28 de maio[4], ela não contou com tempo para pensar seriamente em mais nada.

[4] Ainda que à época da publicação original a Rússia adotasse o calendário juliano, Lênin faz uso do calendário gregoriano para se referir aos acontecimentos da Comuna de Paris. (N. E.)

No entanto, apesar de tais condições desfavoráveis, apesar da brevidade de sua existência, a Comuna conseguiu tomar algumas medidas que caracterizam suficientemente seu verdadeiro sentido e seus objetivos. A Comuna substituiu o exército permanente, esse instrumento cego nas mãos das classes dominantes, pelo armamento geral do povo; proclamou a separação entre Igreja e Estado, extinguiu o orçamento dos cultos (ou seja, a manutenção dos padres pelo Estado), deu à instrução pública um caráter puramente laico e, com isso, desferiu um poderoso golpe nos gendarmes de batina. No domínio puramente social, teve tempo de fazer pouco, mas esse pouco revela, de todo modo, com bastante clareza seu caráter como governo popular, operário: foi proibido o trabalho noturno nas padarias; foi abolido o sistema de multas, esse roubo legalizado dos operários; por fim, foi promulgado o famoso *decreto* por meio do qual todas as fábricas e oficinas abandonadas ou paralisadas por seus proprietários foram entregues a associações operárias para retomar a produção. E, como se para sublinhar seu caráter de governo verdadeiramente democrático, proletário, a Comuna decretou que a remuneração de todo funcionário da administração e do governo não devia ultrapassar o salário normal de um operário e em nenhum caso ser superior a 6 mil francos (menos de 200 rublos por mês) por ano.

Todas essas medidas mostravam com bastante clareza que a Comuna constituía um perigo mortal para o Velho Mundo, assentado na escravização e na exploração. Por isso, a sociedade burguesa não pôde dormir em paz enquanto no edifício do município de Paris agitava-se a bandeira vermelha do proletariado. E quando, por fim, a força governamental organizada conseguiu vencer a força mal organizada da revolução, os generais bonapartistas, derrotados pelos alemães e valentes contra seus compatriotas vencidos, esses Rennenkampf e Meller-Zakomelski franceses[5], organizaram uma carnificina como Paris jamais vira. Cerca de 30 mil parisienses foram mortos pela soldadesca selvagem, cerca de 45 mil foram presos e muitos deles posteriormente executados, milhares foram enviados para trabalhos forçados e para o desterro. No total, Paris perdeu cerca de 100 mil de seus filhos, incluindo os melhores operários de todas as profissões.

[5] Generais tsaristas que lideraram a repressão da Revolução de 1905. (N. E.)

A burguesia estava contente. "Agora, acabou-se o socialismo por muito tempo!", dizia seu chefe, o anão sanguinário Thiers, depois do banho de sangue que, com seus generais, acabara de dar no proletariado parisiense. No entanto, em vão crocitavam esses corvos burgueses. Cerca de seis anos depois do esmagamento da Comuna, quando muitos de seus combatentes ainda penavam nos trabalhos forçados e no exílio, já se iniciava na França um novo movimento operário. A nova geração socialista, enriquecida com a experiência de seus predecessores, mas de modo nenhum desanimada pela derrota, empunhou a bandeira caída das mãos dos combatentes da Comuna e carregou-a com convicção e coragem, sob os gritos: "Viva a revolução social! Viva a Comuna!". E em outro par de anos, o novo partido operário e a agitação armada por ele no país forçaram as classes dominantes a pôr em liberdade os *communards* presos que ainda continuavam nas mãos do governo.

Honram a memória dos combatentes da Comuna não apenas os operários franceses, mas o proletariado de todo o mundo. Afinal, a Comuna lutou não por um tipo de tarefa local ou estritamente nacional, mas pela libertação de toda a humanidade trabalhadora, de todos os humilhados e ofendidos. Como combatente de vanguarda pela revolução social, a Comuna conquistou a simpatia em todos os lugares em que o proletariado sofre e luta. O quadro de sua vida e morte, a imagem do governo operário que tomou e conservou em suas mãos durante mais de dois meses a capital do mundo, o espetáculo da luta heroica do proletariado e de seus sofrimentos depois da derrota – tudo isso elevou o espírito de milhões de operários, despertou suas esperanças e suscitou sua simpatia pelo socialismo. O troar dos canhões de Paris despertou do sono profundo as camadas mais atrasadas do proletariado e deu em todos os lugares impulso à amplificação da propaganda revolucionária socialista. Eis por que a causa da Comuna não está morta; ela vive até hoje em cada um de nós.

A causa da Comuna é a causa da revolução social, a causa da completa emancipação política e econômica dos trabalhadores, é a causa do proletariado de todo o mundo. E, nesse sentido, é imortal.

7. A DEMOCRACIA OPERÁRIA E A DEMOCRACIA BURGUESA[1]

A questão da relação da social-democracia ou da democracia operária com a democracia burguesa é velha e, ao mesmo tempo, eternamente nova. É velha, pois se apresenta no mesmo momento em que surge a social-democracia. Suas bases teóricas foram esclarecidas já nas primeiras obras da literatura marxista, no *Manifesto Comunista*[2] e em *O capital*[3]. É eternamente nova, pois cada passo do desenvolvimento de um país capitalista oferece uma combinação particular, original, dos diferentes matizes da democracia burguesa e das distintas tendências do movimento socialista.

E, para nós, na Rússia, nos tempos atuais, é uma questão que se coloca especialmente nova. Para esclarecer de maneira mais detalhada o presente enfoque, recorreremos a uma pequena referência histórica. O velho *narodismo*[4] revolucionário russo apoiava-se em um ponto de vista utópico, semianarquista. Considerava-se que a comunidade mujique era uma ordem socialista concluída. Por trás do liberalismo da sociedade russa ilustrada, viam-se claramente os anseios da burguesia russa. A luta pela liberdade política foi negada como uma luta por instituições que beneficiavam a burguesia. Os membros do *Naródnaia Vólia* deram um passo adiante, passando à luta política, mas não conseguiram ligá-la ao socialismo. O enfoque socialista claro da questão chegou a ficar obscurecido

[1] Publicado originalmente no jornal Вперёд/*Vperiod* [Avante], n. 3, 11 (24) jan. 1905. Esta versão foi traduzida por Paula Vaz de Almeida com base em Vladímir Ilitch Lênin, *Pólnoie sobránie sotchiniéni*, v. 9 (5. ed., Moscou, Izdátchelstvo Polititcheskoi Literatury, 1967), p. 179-89. (N. E.)

[2] Ver Karl Marx e Friedrich Engels, *Manifesto Comunista* (trad. Álvaro Pina, São Paulo, Boitempo, 2010). (N. E.)

[3] Ver Karl Marx, *O capital: critica da economia politica*, Livro I: *O processo de produção do capital* (trad. Rubens Enderle, São Paulo, Boitempo, 2013). (N. E.)

[4] Referência ao chamado "populismo russo", movimento da nobreza nacional ilustrada nas décadas de 1860 e 1870, defensora de um socialismo agrário inspirado nas ideias de Jean-Jacques Rousseau e Aleksandr Herzen. (N. T.)

quando a fé decrescente no caráter socialista de nossa *obschina*[5] foi renovada por teorias com o mesmo espírito daquela do cidadão V. V.[6] sobre o caráter não burguês da *intelligentsia* democrática russa. Ocorre, com isso, que o *narodismo*, que antes negava incondicionalmente o liberalismo burguês, passou a fundir-se aos poucos com este último em um único movimento liberal-populista. A essência democrático-burguesa do movimento intelectual russo, a começar pelo mais moderado, culturalista, para terminar com o mais extremo, o revolucionário-terrorista, começou a emergir cada vez mais, ao mesmo tempo em que se davam o surgimento e o desenvolvimento da ideologia proletária (social-democracia) e do movimento operário de massas. No entanto, o crescimento deste último foi acompanhado de uma cisão entre os sociais-democratas. Manifestaram-se claramente duas alas da social-democracia, a revolucionária e a oportunista – a primeira expressando as tendências proletárias, e a segunda, as tendências intelectuais de nosso movimento. O marxismo legal logo se tornou, na prática, "reflexo do marxismo na literatura burguesa" e, por meio do oportunismo bernsteiniano, foi dar direto no liberalismo. Os "economistas" da social-democracia, de um lado, encantados pela concepção semianarquista de um movimento operário puro, consideraram que o apoio dos socialistas à oposição burguesa era uma traição do ponto de vista da classe e declararam que a democracia burguesa na Rússia era um fantasma*. Do outro lado, os "economistas" de matiz distinto também se encantaram pelo movimento operário puro – e acusaram os sociais-democratas revolucionários de ignorar a luta social contra a autocracia que estavam travando nossos liberais, os membros do *zemstvo*, os culturalistas**.

O velho *Iskra* mostrou os elementos da democracia burguesa na Rússia quando muitos ainda não os viam. Demandava do proletariado apoio a essa democracia (conferir o n. 2 do *Iskra* sobre o apoio ao movimento estudantil,

[5] Comunidade camponesa rural russa. (N. T.)

[6] Pseudônimo de Vassíli Pávlovitch Vorontsov (1847-1918). Economista e ideólogo do populismo liberal, defendia a impossibilidade do desenvolvimento do capitalismo em solo russo e a reconciliação com o tsarismo. (N. E.)

* Conferir o folheto Два съезда/*Dvá ciezdá* [Dois congressos] do Рабочедельскую/*Rabótcheie dielo* [Causa operária], dirigido contra o Искры/*Iskra* [Faísca].

** Conferir o "Suplemento especial" do Рабочей Мысли/*Rabótchaia Misl* [O pensamento operário], set. 1899.

o n. 8 sobre o congresso clandestino do *zemstvo*, o n. 16 sobre os dirigentes nobres liberais e o n. 18 sobre a efervescência no *zemstvo*)*. Sempre assinalou o caráter burguês de classe do movimento liberal e radical, e se endereçava aos agitadores do *Osvobojdiénie*:

> Está na hora de entender a simples verdade de que a autêntica (e não a verbal) luta conjunta contra o inimigo comum não se assegura com politicagem nem com aquilo que uma vez o falecido Stepniak chamou de autolimitação e auto-ocultamento, tampouco com mentiras diplomáticas de reconhecimento mútuo, mas com a participação efetiva na luta, com a unidade efetiva na luta. Quando os sociais-democratas alemães na luta contra a reação policial-militar e clérigo-feudal tomaram parte efetiva na luta, tornando a luta comum a qualquer partido autêntico que se apoiasse em dada classe do povo (por exemplo, a burguesia liberal), a ação conjunta estabeleceu-se sem fraseologia sobre reconhecimento mútuo. (n. 26)

Esse enfoque da questão por parte do velho *Iskra* nos aproxima muito da presente discussão sobre a relação dos sociais-democratas com os liberais. Como se sabe, essas discussões se iniciaram no segundo congresso, do qual saíram duas resoluções que conjugam o ponto de vista da maioria (resolução de Plekhánov) e da minoria (resolução de Starovier). A primeira resolução aponta precisamente o caráter de classe do liberalismo como um movimento da burguesia e coloca em primeiro plano a tarefa de esclarecer ao proletariado o caráter antirrevolucionário e contraproletário da principal tendência liberal (a do *Osvobojdiénie*). Ao assumir a necessidade do apoio do proletariado à democracia burguesa, essa resolução não incorre na politicagem do reconhecimento mútuo, mas, no espírito do velho *Iskra*, coloca a questão no caráter conjunto da luta: "Uma vez que a burguesia é revolucionária ou apenas oposicionista *em sua luta contra* o tsarismo", *assim*, a social-democracia "deve apoiá-la".

A resolução de Starovier, ao contrário, não oferece uma análise de classe do liberalismo e do democratismo. Está cheia de boas intenções, inventa

* Aproveito a ocasião para expressar meus sinceros agradecimentos a Starovier e Plekhánov, que começaram o trabalho extremamente útil de descobrir os autores dos artigos não assinados do velho *Iskra*. Desejamos que continuem esse trabalho até o fim, pois o material proporcionará uma etapa característica superior para a avaliação da virada do novo *Iskra* rumo ao ideário do *Rabótcheie dielo*.

acordos possivelmente superiores e melhores, mas, infelizmente, fictícios, *verbais*: os liberais ou os democratas devem *declarar* isso e não fazer tais e quais *demandas*, devem tornar suas *palavras de ordem* sobre isso e aquilo. Como se a história da democracia burguesa, sempre e em toda parte, já não tivesse prevenido os trabalhadores contra a confiança nas declarações, nas demandas e nas palavras de ordem! Como se a história não nos tivesse mostrado centenas de exemplos em que as democracias burguesas defenderam com palavras de ordem não apenas a completa liberdade, mas também a igualdade, com palavras de ordem do socialismo, sem deixarem de ser, com isso, democracias burguesas, e contribuindo ainda mais para o "obscurecimento" da consciência do proletariado! A ala social-democrata da *intelligentsia* quer combater esse obscurecimento apresentando condições sobre o não obscurecimento à democracia burguesa. A ala proletária combate por meio de uma análise de conteúdo de classe do democratismo. A ala da *intelligentsia* busca condições para um acordo verbal. A proletária exige a luta conjunta de fato. A ala da *intelligentsia* estabelece as medidas da burguesia boa, benevolente e digna de que se chegue a um acordo com ela. A proletária não espera nenhuma bondade da burguesia, mas apoia qualquer burguesia, ainda que seja a pior, *desde que na prática ela combata o tsarismo*. A ala da *intelligentsia* cai no ponto de vista da barganha: se você está do lado dos sociais-democratas, não dos socialistas-revolucionários, então concordamos em entrar em acordo contra o inimigo comum; do contrário, não. A ala proletária coloca-se sob o ponto de vista da viabilidade: nós os apoiamos a depender exclusivamente de podermos dar um golpe mais certeiro em nosso inimigo.

Todas as falhas da resolução de Starovier se encarnaram já em seu primeiro contato com a realidade. Tal contato foi o famoso plano do novo *Iskra*, um plano "de um tipo de mobilização superior", ligado ao princípio da consideração n. 77 (editorial: "A democracia numa encruzilhada") e n. 78 (folhetim de Starovier). Sobre o plano, há um discurso na brochura de Lênin, e em suas considerações devemos nos deter aqui.

O raciocínio fundamental (ou, na verdade, o irraciocínio fundamental) das referidas considerações do novo *Iskra* reside na diferença entre os membros do *zemstvo* e a democracia burguesa. Essa diferença é um fio que percorre ambos os artigos, ainda mais se o leitor olha atentamente para as expressões: democracia da *intelligentsia* radical (sic!), democracia nascente, democracia intelectual. Essa diferença constrói-se no novo *Iskra*, com sua habitual modéstia, por meio de uma grande descoberta, uma concepção original que ao pobre Lênin "não foi dada a conhecer". Essa diferença está diretamente ligada a um novo método de luta, sobre o qual já ouvimos muito tanto de Trótski quanto da própria redação do *Iskra*; a saber, o liberalismo do *zemstvo*, alegadamente, "só serve para ser açoitado com um escorpião"[7], mas a democracia da *intelligentsia* é útil para um acordo conosco. A democracia deve atuar de maneira independente na qualidade de uma força independente. "O liberalismo russo, que foi separado de sua parte histórica necessária, seu nervo motor (ouçam!), sua metade democrático-burguesa, só serve para ser açoitado com um escorpião". Segundo a concepção leninista de liberalismo russo "não havia lugar para aquele elemento social no qual a social-democracia poderia exercer não importa quando (!) sua influência na qualidade de vanguarda da democracia".

É essa a nova teoria. Como todas as novas teorias do atual *Iskra*, representa uma completa confusão. Primeiro, é infundada e ridícula a pretensão da descoberta da democracia intelectual. Segundo, não é verdadeira a diferença entre o liberalismo do *zemstvo e* a democracia burguesa. Terceiro, não se sustenta a opinião de que a *intelligentsia* pode se tornar uma força independente. Quarto, é injusta a afirmação de que o liberalismo dos *zemstvo* (sem a metade "democrático-burguesa") serve apenas para ser açoitado etc. Examinemos todos esses pontos.

Lênin supostamente teria ignorado o nascimento da democracia intelectual e o terceiro elemento.

Vamos abrir o Заря/*Zariá* [Aurora][8], n. 2-3. Peguemos a mesma *Análise dos assuntos internos* citada no folhetim de Starovier. Lemos *o título do*

[7] Referência à passagem bíblica em I Reis, 12:11: "Sendo assim, meu pai vos sobrecarregou com um jugo pesado, mas eu aumentarei ainda vosso fardo; meu pai vos castigou com açoites, eu, todavia, vos açoitarei com chicotes com ponta de ferro, os escorpiões!". (N. T.)

[8] Revista política editada pela redação do Iskra, publicada de 1901 a 1902 na cidade de Stuttgart (Alemanha). (N. E.)

terceiro capítulo: "O terceiro elemento". Folheamos esse capítulo e lemos sobre "o crescimento do número e da influência de serviços de médicos, técnicos etc. no *zemstvo*", lemos sobre "o desenvolvimento econômico descontrolado, que invoca a necessidade de intelectuais, cujo número só cresce", sobre "os inevitáveis conflitos desses intelectuais com a burocracia e com os magnatas da administração", sobre "o caráter diretamente epidêmico desses conflitos nos últimos tempos", sobre "a irreconciliabilidade da autocracia com os interesses da *intelligentsia* em geral", lemos um *chamado direto* desses elementos "sob a bandeira" da social-democracia...

Não seria isso uma verdade? A recém-descoberta democracia intelectual e a necessidade do chamado sob a bandeira da social-democracia foram "descobertas" pelo maligno Lênin *há três anos*!

Claro, ainda não se havia descoberto a oposição entre os membros do *zemstvo e* a democracia burguesa. Contudo, essa oposição é tão inteligente quanto se disséssemos: a cidade de Moscou *e* o Império Russo. Os censatários do *zemstvo* e os representantes da nobreza são *democratas* na medida em que se colocam contra a autocracia e a servidão. Seu democratismo é limitado, estreito e inconsequente da mesma maneira que é limitado, estreito e inconsequente em diferentes níveis qualquer democratismo burguês. O editorial n. 77 do *Iskra* analisa nosso liberalismo, dividindo-o em grupos: 1) latifundiários feudais; 2) latifundiários liberais; 3) *intelligentsia* liberal, partidária de uma constituição restrita; e 4) extrema esquerda: a *intelligentsia* democrática. Essa análise é incompleta e confusa, pois a divisão da *intelligentsia* se mistura com a divisão de diferentes classes e grupos, cujos interesses são expressos pela *intelligentsia*. Além dos interesses de uma ampla camada de latifundiários, o democratismo burguês russo reflete os interesses de uma massa de comerciantes e industriais, de médios e pequenos proprietários, mas também (o que é especialmente importante) de uma massa de proprietários e pequenos proprietários entre o campesinato. Ignorar esta que é a camada mais ampla da democracia burguesa é a primeira lacuna na análise do *Iskra*. A segunda lacuna consiste no fato de que a *intelligentsia* democrática russa – não por acaso, mas por necessidade – divide sua posição política em três frentes: a do *Osvobojdiénie*, a dos socialistas-revolucionários e a da social-democracia. Todas essas tendências têm sua própria e longa história, e cada uma expressa (com a clareza possível em um Estado autocrático) o ponto de vista dos ideólogos moderados e revolucionários da democracia burguesa e o ponto de vista do proletariado. Nada mais curioso que o desejo ingênuo do novo *Iskra*: "A democracia deve atuar na qualidade de uma força independente"; e, logo a seguir, identifica a democracia com a *intelligentsia* radical! O novo *Iskra* esqueceu que a *intelligentsia* radical, ou a democracia intelectual, tornada uma "força independente", é o nosso "*partido dos socialistas-revolucionários*"! Outra "extrema esquerda", em nossa *intelligentsia* democrática, não poderia existir. Não seria preciso dizer que, sobre a força independente dessa *intelligentsia*, só se pode falar em sentido irônico ou no sentido das bombas. Estar no solo da democracia burguesa e mover-se à esquerda do *Osvobojdiénie* significa mover-se em direção aos socialistas-revolucionários e a nenhum outro lugar.

Finalmente, resiste ainda menos à última crítica da nova descoberta do novo *Iskra*, a saber, que o "liberalismo sem a metade democrático-burguesa" só serve para ser açoitado com escorpiões, que "é mais sensato lançar a ideia de hegemonia ao mar" se não há a quem recorrer além dos membros do *zemstvo*. Todo liberalismo serve para que a social-democracia o apoie na mesma exata medida em que ele, na prática, avança na luta contra a autocracia. É justamente nesse apoio de todos os democratas inconsequentes (ou seja, burgueses) ao único democrata consequente até o fim, ou seja, o proletariado, que se efetiva a hegemonia. Apenas a concepção pequeno-burguesa, mercantilista, de hegemonia vê sua essência no acordo de reconhecimento mútuo e nas condições verbais. Do ponto de vista proletário, a hegemonia na guerra pertence àquele que luta com mais energia, que se vale de qualquer ocasião para desferir golpes no inimigo, alguém cujas palavras não diferem da prática, que é, por isso, o líder ideológico da democracia, que critica cada indecisão*. O novo *Iskra* se engana profundamente ao pensar que a indecisão

* Uma observação ao novo-iskrista perspicaz. Nos dirão que, certamente, a luta enérgica do proletariado *sem quaisquer condições* fará com que a burguesia aproveite a vitória. Nós respondemos com uma pergunta: que garantia de cumprimento das condições do proletariado pode haver, exceto a força independente do proletariado?

é uma qualidade moral, e não político-econômica, da burguesia, ao pensar que se pode e se deve precisar essa medida da indecisão *até* a qual o liberalismo merece somente escorpiões e *após* a qual merece acordos. Isso quer dizer precisamente "determinar de antemão a medida de canalhice válida". Com efeito, pensem nas seguintes palavras: propor as condições de um acordo com os grupos oposicionistas de aceitação por parte deles do direito de voto universal, igualitário, direto e secreto significa "apresentar-lhes o reagente irrefreável de nossa demanda, o papel de tornassol do democratismo, colocar na balança de seus cálculos políticos todo o valor da colaboração proletária" (n. 78). Que beleza de escrita! E como eu gostaria de dizer ao autor destas palavras, Starovier: meu amigo Arkádi Nikolaiévitch, não fale assim tão belamente! O sr. Struve com uma canetada rechaçou o reagente irrefreável de Starovier quando escreveu no programa da *Soiuz Osvobojdiénia* o direito universal ao voto. E esse mesmo Struve, na prática, já provou mais de uma vez que todos esses programas são, para os liberais, um simples papel, e não o de tornassol, mas um papel ordinário, pois para o democrata burguês não significa nada escrever hoje uma coisa e outra amanhã. Com essa qualidade, distinguem-se muitos dos intelectuais burgueses que recorrem à social-democracia. Toda a história do liberalismo europeu e russo mostra por meio de centenas de exemplos a discrepância entre as palavras e a prática, e justamente por isso é ingênua a aspiração de Starovier de inventar reagentes de papel irrefreáveis.

Essa aspiração ingênua de Starovier é ainda o que o leva à grande ideia de que apoiar a burguesia que não está de acordo com o direito ao voto universal em sua luta contra o tsarismo significa "reduzir a nada a ideia do direito ao voto universal"! Talvez Starovier nos escreva ainda mais um belo folhetim*, provando que, ao apoiar os monarquistas em sua luta contra a

* Mais uma pequena amostra da prosa de nosso Arkádi Nikolaiévitch: "Ninguém que tenha, nos últimos anos, seguido a vida social da Rússia deixa de notar a forte atração democrática despida de todas as camadas ideológicas, de qualquer vestígio do passado histórico, no sentido da ideia de liberdade constitucional sem enfeites. Essa atração foi, à própria maneira, a realização de um longo processo de alterações moleculares no interior da democracia, suas metamorfoses ovidianas, atraindo com a variegação de seu caleidoscópio a atenção e o interesse de toda uma série de gerações consecutivas ao longo de duas décadas". É uma pena que isso não esteja correto, pois a ideia de liberdade não expõe, mas, precisamente, embeleza o idealismo dos novíssimos filósofos da democracia burguesa (Bulgákov, Berdiáiev, Novgarótsiev, entre outros. Conferir "Проблемы идеализма/*Probliémy*

autocracia, reduzimos a nada a "ideia" de República? O problema é que o pensamento de Starovier torna-se inútil no âmbito das condições, das palavras de ordem, das demandas, das declarações, e perde de vista o único critério real: o grau de participação efetiva na luta. Disso resulta, inevitavelmente, o embelezamento da *intelligentsia* radical, por meio do qual se anuncia a possibilidade de um "acordo". A *intelligentsia*, troçando do marxismo, que anuncia o "nervo motor" (e não o servo eloquente?) do liberalismo. Os radicais franceses e italianos foram agraciados com o título de pessoas alheias às demandas antidemocráticas e antiproletárias, ainda que, como todos sabem, uma quantidade inumerável desses radicais já tenha traído seus programas e obscurecido a consciência do proletariado, ainda que no mesmo número do *Iskra* (n. 78), na página seguinte (sétima), seja possível ler como monarquistas e republicanos na Itália estavam "ao mesmo tempo na luta contra o socialismo". A resolução da *intelligentsia* de Sarátov (da Sociedade Sanitária) sobre a necessidade de participação dos representantes de todo o povo na legislação se declara a "verdadeira voz (!!!) da democracia" (n. 77). O plano prático da participação do proletariado na campanha da terra vem acompanhado do conselho para "entrar em algum acordo com os representantes da ala esquerda da burguesia oposicionista" (o famoso acordo de não disseminar o terror). E à pergunta de Lênin sobre onde foram parar as notáveis condições de Starovier, a redação do novo *Iskra* responde:

> Essas condições devem estar sempre na memória dos membros do partido, o qual, ao saber quais são as condições únicas e a disposição para entrar em um acordo formal com o partido democrático, está moralmente obrigado e sob os acordos particulares dos quais trata a carta a fazer uma sólida diferenciação entre os representantes fiéis da oposição burguesa – os verdadeiros democratas – e os liberais inconsistentes.*

idealizma" [Problemas do idealismo] e Новый Путь/*Nóvi Put* [Novo caminho]). É uma pena também que, por meio de todas as variegações do seu caleidoscópio, a metamorfose ovidiana de Starovier, Trótski e Mártov passe à atração nua pela frase.

* Conferir o segundo editorial, "Carta aos organizadores do partido", também de cunho conspiratório ("apenas para membros do partido"), ainda que não haja nada de conspiratório nele. É extremamente útil comparar essa resposta de toda a redação do partido com o folheto "conspiratório" de Plekhánov: "Nossa tática em relação à luta do liberalismo burguês contra o tsarismo". "Carta ao Comitê Central. Apenas para membros do partido", Genebra, 1905. Desejamos retornar a ambas produções.

De degrau em degrau. Ao lado do acordo partidário (o único válido segundo Starovier), há acordos especiais em algumas cidades em particular. Ao lado dos acordos formais, há os morais. À aceitação verbal das "condições" e à obrigatoriedade "moral" dá-se o nome de "democrata autêntico" e "verdadeiro", ainda que qualquer criança entenda que dezenas e centenas de falastrões fazem declarações, até convencem com a palavra de honra de um radical que são socialistas, apenas para tranquilizar os sociais-democratas.

Não, o proletariado não vai cair nesse jogo de palavras de ordem, declarações e acordos. O proletariado nunca vai esquecer que a verdadeira democracia não pode ser a burguesa. O proletariado apoia a democracia burguesa não com base em negociações com ela sobre não disseminar o terror, não com base na fé em sua confiabilidade, mas a apoiará quando e na medida em que ela, na prática, lute contra a autocracia. Esse apoio é indispensável para o êxito dos interesses sociais-revolucionários de todo o proletariado.

ÍNDICE ONOMÁSTICO

Bentham, Jeremy (1748-1832): jurista e filósofo inglês, ideólogo do liberalismo burguês; fundador da teoria do utilitarismo – orientação positivista em ética, que considerava a utilidade como a base da moral e o critério dos atos humanos. p. 37.

Bernstein, Eduard (1850-1932): destacado dirigente da ala revisionista da social-democracia alemã e da Segunda Internacional. Teórico revisionista e reformista, negava a teoria da luta de classes e a inevitabilidade da queda do capitalismo, da revolução socialista e da ditadura do proletariado. p. 66, 76, 115, 170, 194.

Bismarck, Otto Eduard Leopold (1815-1898): estadista e diplomata da Prússia e, depois, primeiro chanceler do Império alemão. Conduziu à força a unificação da Alemanha sob a supremacia da Prússia. Em 1878, publicou a lei de exceção contra os socialistas, mas foi malsucedido em debelar o movimento operário. Foi um dos principais organizadores da Tríplice Aliança. p. 108, 189.

Blanc, Louis (1811-1882): socialista pequeno-burguês francês, historiador. Um dos fundadores do oportunismo e do reformismo no movimento operário. p. 74, 139, 156.

Brechko-Brechkóvskaia, Ekaterina Konstantínovna (1844-1934): uma das dirigentes do Partido Socialista-Revolucionário, pertencia à ala mais à direita. Apoiou a guerra e, depois da Revolução de Fevereiro, o governo provisório burguês. Após a Revolução de Outubro, lutou ativamente contra o poder soviético. A partir de 1919, defendeu uma nova intervenção no país. p. 34, 60.

Brentano, Lujo (1844-1931): economista burguês alemão, partidário do "socialismo de cátedra", pregava a renúncia à luta de classes e a possibilidade, por meio da organização de sindicatos reformistas e da legislação fabril, de resolver as contradições na sociedade capitalista e conciliar os interesses dos operários e dos capitalistas. p. 64.

Cher, Vasily Vladimirovich (1884-1940): social-democrata russo, menchevique. p. 45, 47, 54.

Clemenceau, Georges Benjamin (1841-1929): médico, jornalista e político francês, deputado, senador e primeiro-ministro. Implantou uma política de

Grimm, Robert (1881-1956): um dos dirigentes do Partido Social-Democrata da Suíça e da Segunda Internacional; centrista. p. 116.

Gutchkov, Alexandr Ivánovitch (1862-1936): representante da grande burguesia russa, liderou o Partido Outubrista, favorável à monarquia constitucional. Presidiu o Comitê Industrial de Guerra Central e auxiliou no golpe contrarrevolucionário fracassado de Kornílov em 1917. Continuou a lutar contra o governo soviético até sua morte. p. 155-8, 162-4, 166-7.

Haase, Hugo (1863-1919): um dos presidentes do Partido Social-Democrata Alemão de 1911 a 1916; centrista. p. 116, 122.

Henderson, Arthur (1863-1935): destacada personalidade do movimento sindical inglês; dirigente do Partido Trabalhista da Grã-Bretanha, do qual foi secretário entre 1911 e 1934. De 1915 a 1931, integrou várias vezes o governo da Inglaterra. p. 22, 80, 113, 121, 127.

Jaurès, Jean (1859-1914): historiador e diretor do jornal *L'Humanité*, destacada personalidade do movimento socialista francês e internacional. Foi um dos fundadores do Partido Socialista Francês, que compôs a Seção Francesa da Internacional Operária (SFIO). Encabeçou a ala reformista da SFIO, mas manteve posição antimilitarista, pela qual foi assassinado. p. 175.

Kautsky, Karl (1854-1938): um dos dirigentes e teóricos da social-democracia alemã e da Segunda Internacional. Inicialmente marxista e seguidor de Engels, nos anos anteriores à Primeira Guerra aproximou-se do revisionismo, contestando a inevitabilidade da revolução proletária e a ditadura do proletariado. p. 19-23, 36, 46-8, 53, 56, 63-153, 160-1.

Keriénski, Aleksandr (1881-1970): político trudovique e SR. Figura importante do governo provisório após abril de 1917. Ocupou diversas posições até ser nomeado primeiro-ministro depois das Jornadas de Julho. Tentou em vão retomar Petrogrado com as tropas legalistas depois de outubro de 1917. Fugiu da Rússia e morreu no exílio. p. 28-9, 107, 117-9, 135, 137, 152, 156.

Kolb, Wilhelm (1870-1918): social-democrata alemão, oportunista extremo e revisionista. p. 115.

Koltchak, Alexandr Vassílievitch (1873-1920): almirante da marinha tsarista. Depois da Revolução de Outubro, com o apoio dos imperialistas dos Estados

Guerra, foi pacifista. Condenou a intervenção armada contra a Rússia soviética. Nos anos 1930 foi antifascista, partidário da aproximação com os comunistas. p. 80, 113-4, 116, 120-2, 126-7, 133.

Luxemburgo, Rosa (1871-1919): importante teórica, destacada personalidade da social-democracia e do movimento operário alemão e polonês e uma das organizadoras do Partido Comunista da Alemanha. Foi assassinada por milícias de direita a mando do governo dos sociais-democratas oportunistas. p. 12, 47, 76, 126, 181.

MacDonald, James Ramsay (1866-1937): político inglês, um dos fundadores e dirigentes do Partido Trabalhista Independente e do Partido Trabalhista. Praticou uma política oportunista extrema no partido e na Segunda Internacional, pregando a teoria da transformação pacífica do capitalismo em socialismo. p. 113-4, 116, 127, 133.

Martínov (Píkker), Alexandr Samóilovitch (1865-1935): participante do movimento revolucionário russo, um dos ideólogos do "economicismo". Depois da Revolução de Outubro, reviu as suas opiniões, e em 1923 entrou para o Partido Comunista. p. 171-83.

Mártov, L. (Tsenderbaum, Iuli Ossípovitch) (1873-1923): social-democrata russo. No II Congresso do POSDR encabeçou a minoria oportunista e desde então foi um dos dirigentes dos organismos centrais dos mencheviques. Depois da Revolução de Outubro, atuou contra o poder soviético. p. 93-4, 97-8, 176, 181, 201.

Marx, Karl Heinrich (1818-1883): pensador fundamental, fundador do socialismo científico ao lado de Engels. Criou o materialismo dialético e histórico, em uma viragem revolucionária da filosofia. p. 9-11, 14, 20-1, 23, 37, 41, 44, 46-7, 53, 63-79, 84-7, 90-3, 95-6, 99, 102-4, 110, 112, 114-5, 118-20, 122-5, 129-31, 133-5, 139-40, 144-50, 157, 160-1, 166, 171-2, 174, 179, 193-4, 201.

Máslov, Piotr Pavlovitch (1867-1946): economista russo, social-democrata; de 1913 a 1917, foi menchevique. Autor de vários trabalhos sobre a questão agrária, nos quais tentou rever o marxismo. Depois da Revolução de Outubro, afastou-se da atividade política. p. 130-1, 137, 140, 145, 148.

Miliúkov, Pável (1859-1943): político, historiador e KD proeminente. Ministro de Relações Internacionais do governo provisório. Patriota convicto e empenhado em vencer a guerra, renunciou após a perturbadora crise de abril. Deixou a Rússia em 1918. p. 41-2, 107, 156-7, 162-4, 166-7.

Millerand, Aléxandre Étienne (1859-1943): líder da tendência oportunista do movimento socialista francês, participou do governo burguês de Waldeck-Rousseau. Expulso em 1904 do Partido Socialista, ajudou a fundar o partido dos "socialistas independentes". De 1920 a 1924, foi presidente da república. p. 175.

Nadéjdin, L. (Zelénski, Evguéni Óssipovitch) (1877-1905): social-democrata russo, apoiou os "economicistas" e ao mesmo tempo defendeu o terror como meio eficaz para "despertar as massas"; manifestou-se contra o *Iskra* leninista. Depois do II Congresso do POSDR colaborou em publicações mencheviques. p. 183.

Naine, Charles (1874-1926): um dos dirigentes do Partido Social-Democrata suíço. Durante a Primeira Guerra, juntou-se aos internacionalistas; em 1917 foi centrista, e nos anos 1920 passou para a ala direita da social-democracia suíça. p. 116.

Nepénin, Adrian Ivánovitch (1871-1917): vice-almirante da marinha tsarista, comandante da esquadra do Báltico. Em 1917, foi morto por marinheiros insurgentes. p. 162.

Nobs, Ernst (1886-1957): um dos dirigentes do Partido Social-Democrata suíço. Durante a Primeira Guerra, juntou-se aos internacionalistas e sustentou posições pacifistas centristas. Nos anos 1920, passou para a ala direita da social-democracia suíça. p. 116.

Noske, Gustav (1868-1946): um dos dirigentes oportunistas do Partido Social-Democrata Alemão, ministro da Guerra e organizador da repressão contra os operários de Berlim e do assassinato de Liebknecht e Luxemburgo. p. 47-8.

Párvus (Guélfand), Alexandr Lvóvitch (1869-1924): participante do movimento social-democrata russo e alemão. A partir de 1903, foi menchevique.

Advogava a teoria da revolução permanente. Durante a Primeira Guerra, foi social-chauvinista. p. 181-4.

Potriéssov, Alexandr Nikoláevitch (Starover) (1869-1934): participante do movimento revolucionário russo. Aderiu aos marxistas e participou da criação do *Iskra*; a partir de 1903, tornou-se um dirigente menchevique. p. 111-2.

Renaudel, Pierre (1871-1935): dirigente reformista do Partido Socialista Francês, redator dos jornais *Le Peuple* e *L'Humanité*, e deputado. Foi social--chauvinista durante a Primeira Guerra. Em 1927, afastou-se da direção do partido. p. 22, 80, 113, 121, 127.

Rennenkampf, Paul von (1854-1918): nobre, estadista e general do Exército Imperial russo. Comandou tropas durante a Revolta dos Boxers e na Guerra Russo-Japonesa, e foi o general responsável pela invasão da Prússia em 1914. Morto em 1918, após se recusar a aderir à causa revolucionária na Guerra Civil Russa. p. 190.

Renner, Karl (1870-1950): político, dirigente e teórico do Partido Social--Democrata da Áustria. Liderou o primeiro governo da Áustria Alemã e da Primeira República Austríaca, e foi o primeiro presidente austríaco após a Segunda Guerra. p. 19, 21-3.

Richter, Eugen (1838-1906): um dos dirigentes do "partido dos livres-pensadores" alemão, cujo ponto de vista era da burguesia liberal; inimigo do socialismo, pregava a possibilidade da conciliação dos interesses do proletariado e da burguesia. p. 112.

Rodbertus-Jagetzow, Johan Karl (1805-1875): economista alemão, um dos teóricos do "socialismo de Estado". Considerava que as contradições entre o trabalho e o capital podiam ser resolvidas por meio de uma série de reformas aplicadas pelo Estado prussiano dos *Junkers*. p. 147.

Róditchev, Fiódor Izmaílovitch (1853-1932): jurista russo, um dos dirigentes do Partido Democrata-Constitucionalista. p. 167.

Saltikov-Schedrin, Mikhail Yevgrafovich (1826-1889): editor e escritor satírico russo. Considerado um dos mais importantes autores russos do gênero,

Sviátitski, Nikolai V. (n. 1887): SR e secretário do Comitê dos Membros da Assembleia Constituinte em Samara, órgão contrarrevolucionário. Posteriormente, passou para o lado do poder soviético. p. 32.

Tchernov, Víktor Mikháilovitch (1876-1952): dirigente e teórico dos SRs, publicou artigos contra o marxismo e adotou posições sociais-chauvinistas. Depois da Revolução de Outubro, engajou-se em atividade antissoviética antes de se exilar. p. 41-2.

Tchernyschiévski, Nikolai Gavrilovich (1828-1889): escritor e revolucionário russo, importante liderança do movimento revolucionário democrático na década de 1860 e enorme influência para Lênin e os revolucionários de sua geração. Foi condenado pelo Império Russo ao exílio na Sibéria. p. 28.

Tchkheídze, Nikolai Semionovich (1864-1926): político menchevique georgiano, teve destaque na Revolução Russa de 1917 e na Revolução Georgiana de 1918. Presidiu o Soviete de Petrogrado, logo cedendo lugar aos bolcheviques. Foi forçado ao exílio em 1921, quando os bolcheviques assumiram o poder na Geórgia. p. 155-7.

Thiers, Louis-Adolphe (1797-1877): historiador e estadista burguês francês, presidente da república em 1871-1873; um dos principais organizadores da guerra civil e do esmagamento da Comuna de Paris. p. 188, 191.

Tkatchov, Piotr Nikítitch (1844-1885): ideólogo do populismo revolucionário, publicista e crítico literário. Inspirou o tkatchovismo, corrente segundo a qual uma pequena minoria revolucionária deveria tomar o Estado e impor-lhe as modificações políticas necessárias aos interesses populares. p. 171.

Turati, Filippo (1857-1932): um dos fundadores do Partido Socialista Italiano, dirigente de sua ala reformista. Durante a Primeira Guerra, adotou uma posição centrista e opôs-se à Revolução de Outubro. Em 1926, exilou-se na França, onde desenvolveu atividade antifascista. p. 116, 120-2.

Vandervelde, Émile (1866-1938): dirigente do Partido Operário da Bélgica, presidente do Bureau Socialista Internacional da Segunda Internacional. Durante a Primeira Guerra, foi social-chauvinista. Adepto do que chamava "revolução reformista", foi hostil à Revolução de Outubro. p. 22.

Varlin, Louis Eugène (1839-1871): revolucionário francês, personalidade eminente da Comuna de Paris. Em 1865 entrou na Primeira Internacional, foi um dos organizadores e dirigentes das suas seções de Paris. Fuzilado pelos versalheses. p. 175.

Vólski, V. K. (s/d): SR, presidente do contrarrevolucionário Comitê dos Membros da Assembleia Constituinte em Samara. Posteriormente, cessou a luta contra o poder soviético. p. 32.

Webb, Beatrice (1858-1943) e *Webb, Sidney* (1859-1947): casal de economistas destacado entre os círculos reformistas ingleses. Escreveram uma série de obras sobre a história e a teoria do movimento operário inglês. Foram fundadores da Sociedade Fabiana. Durante a Primeira Guerra, aderiram ao social-chauvinismo. p. 80.

Weber, Heinrich [Otto Bauer] (1882-1938): destacada personalidade da social-democracia austríaca e da Segunda Internacional. Teve uma atitude hostil em relação à Revolução de Outubro, e participou ativamente na repressão às ações revolucionárias da classe operária da Áustria. p. 133.

Weydemeyer, Joseph (1818-1866): destacado nome do movimento operário alemão e estadunidense, amigo de Marx e Engels, foi membro da Liga dos Comunistas. Depois da derrota da revolução de 1848-1849 na Alemanha, emigrou para os Estados Unidos, onde participou da Guerra Civil ao lado dos nortistas e difundiu o marxismo. p. 9.

Woodrow Wilson, Thomas (1856-1924): acadêmico e político do Partido Democrata, presidente dos Estados Unidos de 1913 a 1921. Formulador do wilsonianismo, doutrina de política externa que concebe o país como promotor ativo da democracia pelo globo. Participou das negociações do Tratado de Versalhes. p. 27.

CRONOLOGIA

Ano	Vladímir Ilitch Lênin	Acontecimentos históricos
1870	Nasce, no dia 22 de abril, na cidade de Simbirsk (atual Uliánovsk).	
1871		Em março, é instaurada a Comuna de Paris, brutalmente reprimida em maio.
1872		Primeira edição de *O capital* em russo, com tradução de Mikhail Bakúnin e Nikolai F. Danielson.
1873		Serguei Netcháiev é condenado a vinte anos de trabalho forçado na Sibéria.
1874	Nasce o irmão Dmítri Ilitch Uliánov, em 16 de agosto.	Principal campanha *naródniki* (populista) de "ida ao povo".
1876		Fundação da organização *naródniki* Terra e Liberdade, da qual adviriam diversos marxistas, como Plekhánov.
1877		Marx envia carta ao periódico russo Отечественные Записки/ *Otetchestvênie Zapiski*, em resposta a um artigo publicado por Nikolai Mikhailóvski sobre *O capital*.
1878	Nasce a irmã Maria Ilinítchna Uliánova, em 18 de fevereiro.	Primeira onda de greves operárias em São Petersburgo, que duram até o ano seguinte.
1879		Racha de Terra e Liberdade; a maioria funda A Vontade do Povo, a favor da luta armada. A minoria organiza A Partilha Negra. Nascem Trótski e Stálin.

Ano	Vladímir Ilitch Lênin	Acontecimentos históricos
1881		Assassinato do tsar Aleksandr II no dia 13 de março. Assume Aleksandr III. Marx se corresponde com a revolucionária russa Vera Zássulitch.
1882		Morre Netcháiev. Marx e Engels escrevem prefácio à edição russa do *Manifesto Comunista*.
1883		Fundação da primeira organização marxista russa, Emancipação do Trabalho.
1886	Morre o pai, Ilia Uliánov. Lênin conclui as provas finais do ensino secundário como melhor aluno.	
1887	Aleksandr Uliánov, seu irmão mais velho, é enforcado em São Petersburgo por planejar o assassinato do tsar. Em agosto, Lênin ingressa na Universidade de Kazan. Em dezembro, é preso após se envolver em protestos e expulso da universidade.	
1888	Lê textos de revolucionários russos e começa a estudar direito por conta própria. Inicia primeira leitura minuciosa de *O capital*. Reside em Kazan e Samara.	
1889	Conhece A. P. Skliarenko e participa de seu círculo, a partir do qual entra em contato com o pai de Netcháiev.	Fundada em Paris a Segunda Internacional.
1890	Primeira viagem a São Petersburgo, a fim de prestar exames para a Faculdade de Direito.	
1891	Recebe diploma de primeira classe na Faculdade de Direito da Universidade de São Petersburgo. Participa de "iniciativa civil" contra a fome, em denúncia à hipocrisia das campanhas oficiais.	
1892	Autorizado a trabalhar sob vigilância policial, exerce a advocacia até agosto do ano seguinte no tribunal em Samara.	

Ano	Vladímir Ilitch Lênin	Acontecimentos históricos
1893	Participa de círculos marxistas ilegais, atacando o narodismo, e leciona sobre as obras de Marx. Muda-se para São Petersburgo, onde integra círculo marxista com Krássin, Rádtchenko, Krjijanóvski, Stárkov, Zapórojets, Váneiev e Sílvin.	
1894	Publica *Quem são os "amigos do povo" e como lutam contra os social-democratas?*. Conhece Nadiéjda K. Krúpskaia. Encontra os "marxistas legais" Piotr Struve e M. I. Túgan--Baranóvski no salão de Klásson.	Morte de Aleksandr III. Coroado Nicolau II, o último tsar.
1895	Viaja a Suíça, Alemanha e França, entre maio e setembro. Conhece sociais-democratas russos exilados, como Plekhánov e o grupo Emancipação do Trabalho. De volta à Rússia, é preso em 8 de dezembro, em razão de seu trabalho com a União de Luta pela Emancipação da Classe Operária, e condenado a catorze meses de confinamento, seguidos de três anos de exílio.	
1896	Prisão solitária.	Nadiéjda K. Krúpskaia é presa.
1897	Exílio em Chuchenskoie, na Sibéria.	
1898	Casamento com Krúpskaia no dia 22 de julho, durante exílio. Em Genebra, o grupo Emancipação do Trabalho publica "As tarefas dos sociais-democratas russos", escrito por Lênin no final de 1897.	Congresso de fundação do Partido Operário Social-democrata da Rússia (POSDR), em Minsk, 13-15 de março.
1899	Publicação de seu primeiro livro, *O desenvolvimento do capitalismo na Rússia*, em abril, durante exílio.	
1900	Com o fim do exílio na Sibéria, instala-se em Pskov. Transfere-se para Munique em setembro.	Publicada a primeira edição do jornal Искра/*Iskra*, redigido no exterior e distribuído clandestinamente na Rússia.
1901	Começa a usar sistematicamente o pseudônimo "Lênin".	
1902	Publica *Que fazer?* em março. Rompe com Struve.	Lançado o Освобождение/*Osvobojdiénie*, periódico liberal encabeçado por Struve.

Ano	Vladímir Ilitch Lênin	Acontecimentos históricos
1903	Instala-se em Londres em abril, após breve residência em Genebra. Publicação de "Aos pobres do campo". Lênin se dissocia do *Iskra*.	II Congresso do POSDR, em Bruxelas e depois em Londres, de 30 de julho a 23 de agosto, no qual se dá a cisão entre bolcheviques e mencheviques.
1904	Abandona Comitê Central do partido. Publicação de *Um passo em frente, dois passos atrás* e do primeiro número do jornal bolchevique Вперёд/*Vperiod*, em Genebra.	Início da Guerra Russo-Japonesa; a Rússia seria derrotada no ano seguinte. Mártov publica "O embate do 'estado de sítio' no POSDR".
1905	Escreve *Duas táticas da social-democracia na revolução democrática*, em junho-julho. Chega em São Petersburgo em novembro. Orienta publicação do primeiro jornal diário legal dos bolcheviques, o Новая Жизнь/*Nóvaia Jizn*, publicado entre outubro e dezembro.	Em 22 de janeiro, Domingo Sangrento em São Petersburgo marca início da primeira Revolução Russa. III Congresso do POSDR, de 25 de abril a 10 de maio, ocorre sem a presença dos mencheviques. Motim no encouraçado *Potemkin* em 14 de junho. Surgem os sovietes. Manifesto de Outubro do tsar.
1906	Em maio, faz seu primeiro discurso em comício, em frente ao palácio da condessa Panina.	V Congresso do POSDR em Londres, de 13 de abril a 1° de junho. Convocação da Primeira Duma.
1907		Publicação da obra *Resultados e perspectivas*, na qual Trótski, a partir do balanço da Revolução de 1905, apresenta uma primeira versão da teoria da revolução permanente. Segunda Duma (fevereiro). Nova lei eleitoral (junho). Terceira Duma (novembro).
1908	Escreve *Materialismo e empiriocriticismo*, publicado no ano seguinte. Em dezembro, deixa Genebra e parte para Paris.	
1909	Conhece Inessa Armand na primavera, com quem manteria uma relação próxima.	
1910	Encontra Máksim Górki na Itália. Participa do Congresso de Copenhague da II Internacional. Funda Рабочая Молва/*Rabotchaia Molva* em novembro e inicia série de artigos sobre Tolstói.	Congresso de Copenhague.

Ano	Vladímir Ilitch Lênin	Acontecimentos históricos
1911	Organiza escola do partido em Longjumeau, perto de Paris.	Assassinato do ministro tsarista Piotr Stolípin, em 18 de setembro.
1912	Instala-se em Cracóvia em junho. Eleito para o Bureau Socialista Internacional. Lança o Правда/*Pravda* em maio, após organização do Comitê Central dos bolcheviques, em Praga, no mês de janeiro.	VI Congresso do Partido em Praga, essencialmente bolchevique. Após anos de repressão, os operários russos retomam as greves. Bolcheviques e mencheviques deixam de pertencer ao mesmo partido. Quarta Duma.
1913	Muda-se para Poronin em maio. Escreve longos comentários ao livro *A acumulação do capital*, de Rosa Luxemburgo. Entre junho e agosto, viaja à Suécia e à Áustria.	
1914	Preso por doze dias no Império Austro--Húngaro após eclosão da Primeira Guerra. Ele e Krúpskaia partem para Berna. Lê e faz anotações sobre a *Ciência da lógica* de Hegel, depois conhecidas como *Cadernos filosóficos*.	Início da Primeira Guerra Mundial. O apoio dos sociais-democratas alemães aos créditos de guerra gera uma cisão no socialismo internacional. Greves gerais em Baku. São Petersburgo é renomeada como Petrogrado.
1915	Participa da Reunião Socialista Internacional em Zimmerwald.	Movimentos grevistas na Rússia ocidental. Reunião socialista internacional em Zimmerwald, na Suíça, em setembro, com lideranças antimilitaristas.
1916	Escreve *Imperialismo, fase superior do capitalismo*. Comparece à II Conferência de Zimmerwald, em Kienthal (6 a 12 de maio). Morte de sua mãe, Maria Aleksándrovna Uliánova.	Dissolução da Segunda Internacional, após o acirramento do embate entre antimilitaristas e sociais-chauvinistas.
1917	Desembarca na Estação Finlândia, em São Petersburgo, em 16 de abril, e se junta à liderança bolchevique. No dia seguinte, profere as "Teses de abril". Entre agosto e setembro, escreve *O Estado e a revolução*.	Protesto das mulheres no 8 de março deflagra Revolução de Fevereiro, a qual põe abaixo o tsarismo. O Partido Bolchevique passa a denominar-se Partido Comunista. A Revolução de Outubro inicia a implantação do socialismo.

Ano	Vladímir Ilitch Lênin	Acontecimentos históricos
1918	Dissolve a Assembleia Constituinte em janeiro. Publicação de *O Estado e a revolução*. Em 30 de agosto, é ferido em tentativa de assassinato por Dora (Fanni) Kaplan. Institui o "comunismo de guerra".	Assinado o Tratado de Brest--Litovsk em março. Fim da Primeira Guerra Mundial em novembro. Início da guerra civil na Rússia. Trótski organiza o Exército Vermelho, com mais de 4 milhões de combatentes, para enfrentar a reação interna e a invasão por tropas de catorze países.
1919	Abre o I Congresso da Comintern.	Fundação da Internacional Comunista (Comintern). Início da Guerra Polonesa-Soviética.
1920	Escreve *O esquerdismo, doença infantil do comunismo*.	II Congresso da Internacional Comunista, de 21 de julho a 6 de agosto. Morre Inessa Armand. Fim da Guerra Polonesa-Soviética.
1921	Em 21 de março, assina decreto introduzindo a Nova Política Econômica (NEP).	X Congresso do Partido, de 1 a 18 de março. Marinheiros se revoltam em Kronstadt e são reprimidos pelo governo bolchevique.
1922	No dia 25 de dezembro, dita seu testamento após sofrer dois acidentes vasculares.	Tratado de Criação da União Soviética e Declaração de Criação da URSS. Stálin é apontado secretário-geral do Partido Comunista.
1923	Após um terceiro acidente vascular, fica com restrições de locomoção e fala e sofre de dores intensas.	XII Congresso do Partido, entre 17 e 25 de abril, o primeiro sem a presença de Lênin. Fim dos conflitos da guerra civil.
1924	Morre no dia 21 de janeiro. No mesmo ano é publicado *Lênin: um estudo sobre a unidade de seu pensamento*, de György Lukács.	XIII Congresso do Partido, em janeiro, condena Trótski, que deixa Moscou.

Mary Evans Picture Library

Detalhe da abertura do I Congresso da Terceira Internacional, que reuniu líderes de partidos comunistas e estabeleceu diretrizes para sua ação política, em 1919, em Moscou. Da esquerda para a direita, Gustav Klinger, Hugo Eberlein, Vladímir I. Lênin e Fritz Platten.

Publicado em outubro de 2019, cem anos após a criação da organização também conhecida como Internacional Comunista, este livro foi composto em Minion Pro, corpo 11/14,9, e reimpresso em papel Pólen Natural 80 g/m^2 pela gráfica Rettec para a Boitempo, em janeiro de 2025, com tiragem de 2 mil exemplares.

Hulton Archive